木曜島の夜会

司馬遼太郎

文藝春秋

目次

編集部より

本書に収録した作品のなかには、差別的表現あるいは差別的表現ととられかねない箇所が含まれています。が、著者は既に故人であり、作品が時代的な背景を踏まえていること、作品自体は差別を助長するようなものではないことなどに鑑み、原文のままとしました。

木曜島の夜会

木曜島の夜会

木曜島は、遠い。

南半球の多島海のトレス海峡に浮かんでいるとは聞いているが、やはり椰子《やし》なぞが生えているのか。カンガルーはいるのか。人間は住んでいるのか。「シチューの皿みたいに小《こ》もうてな」と、六十年前、その島にいたことのある宮座鞍蔵《くらぞう》老人はいうが、どの程度の小ささなのか。甥《おい》は、少年のころから聴かせられている。自転車でなら、一時間で一周できるのか。

「あかん島でな」

宮座鞍蔵老人は、可愛い、という表情を作りながら、島の悪口をいう。あら、水が湧《わ》かん、草も木も天水で育っとるが、物の稔《な》るものが育たん、このためにあのへんのあいらんだあも近づかんのやな、明治の前は無人島やったやろな、島の浜を歩いとるのは背の小《こま》い日本人ばかりでな、それもわしらと同じ熊野者でな、何村の何ちゃんというようにみな素姓が知れていた、こう、目をつぶると顔まで浮かんでくる。

「目をあけるのが、惜しい」

老人は老いすぎている。泣き声を出したが、顔だけは感傷とは無縁で、岩のような熊野顔を持っている。甥でさえ、五十を越している。かれ自身が昔ばなしをしてもいい年なのだが、しかし子供のころから、おじたちの木曜島ばなしの聴き役であることに変わりがなく、いい年をして子供のようにこの種の話をきかされつづけている自分に多少の滑稽《こっけい》感を覚えることがある。甥は、私の古い友人である。自然、私も、この熊野古座川《こざがわ》のおじたちの話をきくことが多い。

古座川というのは、上流から七里のあいだ、岩盤をえぐって流れる川で、水の透明度はすさまじいほどである。下流でも、岩肌の山々が里を一つずつ取り籠《こ》めて、わずかに川の流れをゆるしている。その下流に、吊橋《つりばし》がある。その下が水流でえぐれて深く、十尋《とひろ》はあるといわれた。橋の下に小船をうかべ、若い人たちが汗みずくでポンプを上下させている。そのうちの一人が帆布にゴムをひいた潜水服を着、最後に大きな釜《かま》をかぶり、釜のつけ根のネジを介添えの人から締めてもらって、やがて舟ばたをつかみ、十尋の青々とした川底へ沈められてゆく。そういう訓練を、甥は、五、六歳のころに見た記憶がある。愉快な記憶ではなかった。

（自分も、連れられてゆくのではないか）

という恐怖があった。

——それはなにかの間違いやないやろかな。そういう訓練はしたことがないがな。

と、宮座鞍蔵老人は、否定した。

甥のほうは、この幼時の記憶がたしかなものだと思っている。ついでながら潜水《ダイヴァ》夫は、使用人ではない。他の乗組員を使っている。船長と潜水夫を兼ね、一統七、八人の束ねをし、海底から水揚げしてきた貝が金になると、みなに分配する。船上では、海底にいるダイヴァーのために空気を送る。空気のことをこの連中は「えいやあ」という。ひどく華やかな発音である。船上で「えいやあ」を送る者、命綱をにぎる者、操船する者は、海底のダイヴァーと呼吸があわねばならず、まことに一つ運命に身を託しあっている。このため仲間を編成する場合、できるだけ身内か同村の者であることを必要とした。その補充のためにダイヴァーが村に帰ってくる。

その間《かん》、訓練(?)もする、と甥はおもっていた。が、宮座鞍蔵老人は、川で訓練して何になるか、ありえないことだ、といった。

このことは、私をも混乱させた。古座川の吊橋の下で訓練をした、ということは私も古い時期に、「甥」からきいており、その吊橋を渡るたびに下の青い淵《ふち》をのぞいて、格別な思い入れを持った。その情景を、私の木曜島ダイヴァーの歴史から消し去ることは、多少のつらさを伴った。

甥の幼時の恐怖も、この、釜をかぶって若い衆が淵に沈められてゆく、という情景が核になっていて、この情景なしには、幼時の追想がしにくい。(自分も若い衆になれば、木曜島へつれてゆかれて、あれをさせられてしまう)という怖《おそ》れは、人攫《ひとさら》いに攫われてゆく感じと酷似していた。

甥は、多くのおじを持っていた。そのうちの四人までが南半球へ行ってダイヴァーになった。ダイヴァーというのはばはん(倭寇《わこう》)の頭《かしら》みたいなもので容易になれるものではない、ときいていたが、ともかくも、湊《みなと》千松、吉川百次、吉川嘉右衛門、それにこの宮座鞍蔵という四人のおじは、あの海域のひとびとの間でも名うての者であった。甥の幼少のころは、それら英雄的なおじを持ったことよりも、そのおじたちがいつ帰ってきて、「この子を貰《もろ》うてゆく」といって連れてゆきはしないかという不安がつきまとった。

――いや、この子はどこにもやらん。

と、母方の祖父が、この「甥」を膝《ひざ》の上で抱きながらしきりに言っていたことを思うと、やはりそのおそれはあったにちがいない。この外祖父は腕のいい大工で、とくに田掻きの鞍をつくる名人だった。田掻《たか》きというのはこの地方だけに残っていた牛の競走で、田植え前の田んぼを何枚か競走場としてつかい、幾頭かの牛をその中に入れ、追い子がそれぞれの牛を泥だらけになって追い立て、優劣をきそうのだが、この外祖父は足が悪かったために、若いころ、この山峡の村々の花であったその追い子をつとめることができなかった。この「甥」をどこにもやらないというのは、近在一の田掻きの追い子にしてみせるということだったのである。

しかし、甥は、十四、五にもなればどこかにやられてしまう、という材料をふんだんにきいていた。熊野のある一角ではアメリカへゆく。おなじ熊野でもこの古座川から串本にかけては、濠州であった。アメリカは陸地だが、濠州ゆきというのは、要するに海の底のことである。

宮座鞍蔵老人は、大正九年、十九歳のとき、保津川丸という一五〇トンの船に乗り、古座港を出、四十九日かかってシンガポール経由で濠州へ行ったという。

わしらは若僧でな、古い人がいた。串本のYさんというのは明治二十九年の春に十四歳で、この人の場合は神戸から船に乗った。父親に伴われていた。神戸港で旅券の査閲をうけたとき、係官が十四歳という年の稚《おさな》さにおどろき、お前のような子供が遠い国に出稼ぎにゆくのか、父親は承知しているのか、といった。父親が神戸まで見送りにきてくれているというと、まあ承知してくれたということだった。明治二十九年というと日清戦争のあとで、景気がわるかったらしい。わしらが国を離れた大正九年というのは、景気がよかった。行くについて医者に体を診《み》てもらったところ、医者が、なぜこんな景気のいい時代に行かんならんのか、といったのをおぼえている。

宮座鞍蔵老人は、「家が貧乏でどうにもならん、むこうについたら稼ぎはみな家に仕送りして一文もバクチに使うまいと思って家を出た」といっているように、家計の面倒をみるためであった。明治二十九年に十四歳で渡濠したYさんという人も、そうであったにちがいない。

私の友人の「甥」にとって、血縁ではないが叔母《おば》のつれあいということでおじである吉川百次の場合も、昭和四年、十四歳で渡航した。父親がひとにすすめられてH製薬の株を買い、それが同社の倒産で紙くずになったために、自分が稼ぎにゆく、と両親を説いて渡濠した。このおじが出てゆくときを、「甥」はおぼえている。父親につれられて村じゅうあいさつしてまわった。「甥」はそのあいさつの行列について行った。どの家の女たちも口では励ましながら、泣いていた。その涙をみて「甥」は、自分もその年になると大きな釜をかぶって海の底に入らねばならないのかと思い、いよいよおびえが大きくなった。

ただし、甥の半生はそのようにはならなかった。長ずるにつれて国がつぎつぎと戦争をおこし、外国へ仕事にゆけるような世の中ではなくなった。田搔きの遊びも、戦争をさかいに絶え、かれを田搔きの牛追いにすることを楽しみにしていた外祖父も死んだ。そのうちこの山村にも子供を中等学校に入れる習慣ができ、最終学校を出てから大阪で建築設計事務所をひらいた。若いころはくにから遠ざかっていたが、五十を過ぎてからはつとめて帰るようにした。おじたちはもう宮座鞍蔵と吉川百次の二人しか生き残っていなかったが、帰ればその二人を手厚く見舞った。

あるとき、連れてゆかれる、という幼時のころのこわさを話すと、老人は、

「ひえっ」

笛のような声を出し、そのあとあばらの太い胸を反らせて、姿勢だけで笑い、あんなおもしろいことはなかった、いませめて三十年若ければ——五十ぐらいなら——もう一度行ってみたい、といった。

「白蝶貝《しろちょうがい》を採ることが？」

そんなにおもしろかったのか、という意味のことを甥がきくと、老人の表情に急に少年の匂いが立ち、だまって点頭した。

この老人は若いころから、修身の本が歩いている、といわれたほどにまじめな男で、およそ道楽というものを知らず、濠州でも、ばくちもせず、女も買わなかったらしい。大正九年に木曜島に行ったときは、親方から渡航費として一五〇円わたされた。最初からダイヴァーになれるということは絶無といってよく、だいたいダイヴァーに出世できる率は、三〇人に一人といわれた。船上でめしばかり炊いている水夫《クルー》で、それでも月に三〇円もらえた。そのうちから前渡しの渡航費を返済してゆき、やがてそれを返しおわると、家へ送金した。木曜島から西濠州の海に移って、ダイヴァーに出世した。十年ばかりいて、昭和六年四月、むこう発の船で帰ってきたときは、潜水生活で体はずいぶん傷んでいた。しかし田んぼを何枚も買って百姓がましい暮らしができるだけの金を持っていた。宮座老人というのは、要するに、そういう人物である。おもしろかった、というのは何であるのか、甥には想像がつかなかった。

甥と私は、長いあいだ、うかつなままでいた。紀州人が、明治のはじめから濠州の海へ行きつづけていたのは、天然真珠を採りに行っていたんだろうと思っていたが、そうではなく、貝殻そのものを採るのが目的だということをあとで知った。

白蝶貝、黒蝶貝、あるいは高瀬貝というのは、貝殻の柄《がら》が大きく、ぶが厚く、ヨーロッパの貴婦人の胸をかざるような上等の釦《ボタン》をそこからとることができる。戦前、大阪で釦を製造して手びろくやっていた老人にきくと、「私は日露戦争に騎兵一等卒として従軍したあと、釦職をならいました。手前どもがやっていたのは釦といっても中程度のものでしたが、それでも貝殻は輸入しました。主として南中国の貝を入れていたのです。いやいや、白蝶貝、黒蝶貝など、とてもおごそかでさわったこともありません。戦前の日本というのは世間が貧しゅうございましたから、たとえ作ってもとても商売にはならなかったでしょう」ということだった。

白蝶貝を海底から揚げてくると、たまには真珠を含んでいるのもあった。しかしそれをダイヴァーの雇い主が期待しているのではなかったから、船上で分配し、多少の小遣いにした。採集者たちにとって真珠はその程度のものであった。

白蝶貝や黒蝶貝の時代が過ぎてしまったのは、戦後、合成樹脂という可塑《かそ》性物質が普遍化したことによる。わざわざ海底にもぐって天然材をとる必要がなく、その合成樹脂時代すら古くなり、釦が貝殻からつくられていたということなどは、歴史の知識に近いものになった。宮座老人が、せめて五十歳なら、いま一度濠州の海へ行ってあれをやってみたい、というのは、そのこと自体、詮《せん》のないことになった。どの海にも貝をとるために命がけで海底にもぐるという仕事が、存在しなくなっているのである。

海の往事ともなれば、まことに茫々《ぼうぼう》としている。

最初、たれが濠州の海域で貝をとるために濠州の海にもぐったかということは、さだかでない。釦材料としての需要の高さは大変なものだったし、その需要を満たしてあまりあるだけの白蝶貝が濠州の海底に棲息《せいそく》しているということは、とくに英国人のあいだで知られていた。その棲息状況は、宮座老人のいうところでも、「大正時代の西濠州の海などは、河原の石ころよりも多かった」ということであり、要するに採ればよかった。しかし採るのに適した者がまれで、当初、いなかったといっていい。

英国商人が親方になって、当初、ニューギニアの原住民などをつれてきて潜らせたらしいが、失敗した。かれらは海底を好まず、それに海底は暗く、歩いていても、貝に似たような他の物との区別がつきにくく、結局は仕事にならなかった。欲望がすくないということもあった。それほど命がけで海底の貝をとり、貨幣を貰ったところで何になるかということが、原住民にあった。かれらにはまだ貨幣経済がなく、貨幣経済の普及によってできた人間のあたらしい文化性が成立していなかった。

そのために、そのあとマライ人を雇った。マライ人はほぼ大半が自給自足経済の中にあるとはいえ、海岸地方に住む人々は中国人やヨーロッパ人がもたらした貨幣というものを数百年来知っていたから、欲得はあった。しかし命がけで貨幣を得たいと思うほどまでには欲得が達していなかったのか、この仕事をいやがったし、ダイヴァー船に乗っても、ふつうの水夫《クルー》になりたがった。まれにダイヴァーになる者がいても、技倆《ぎりょう》をみがくという情熱を持つまでには至らなかった。

中国人は文明の歴史のなかでもっとも古くから貨幣を知っていた文明圏に属している。宋《そう》・元《げん》以来、アラビアの冒険商人の刺激により、とくに南中国の港湾にすむ人々は貿易による射利の大きさをも知った。明《みん》の滅亡以来、南方に移住する者が多く、華僑《かきょう》という独特の経済生活者を成立させた。十九世紀末には、かれらは遠く濠州にまで進出してきていて、労働の面でも商業の面でも、需要があればなんにでも応じた。

が、そういう中国人にも、弱いところがあった。かれらは紀元前から海を怖れることおびただしく、海に浸《つか》って泳ぐこともにが手なだけでなく、もぐるなどは出来ないばかりか、中国人にしてもし潜水をする者があるとすればそれは中国人ではないといえるほどに、そのことは文化性の基本にある課題のようだった（註・中国大陸の中でも江南の越人は海をおそれないといわれるが、ながい歴史のなかで漢民族化し、その特徴が薄れた）。

男子は大小となく皆、面を黥《げい》し、身に文す。……倭《わ》の水人、好《よ》く沈没して魚蛤《ぎょこう》を捕ふるに身に文するは、亦以《またもっ》て大魚水禽《すいきん》を厭するなり。

この「魏志倭人伝」の一節は、倭人の特徴をかかげている。顔や体にいれずみを施しているという。その理由は、水にもぐって魚介をとらえるときに海中の大魚などをおどすためだとある。この記述は、倭人が海に沈没できることと、沈没して魚介をとらえるということが、いれずみという特徴以前の習性としてとらえられている。海ぎらいの漢民族としてはまことに珍奇な連中という印象に相違なく、そのことが、十九世紀末の濠州で沈没するか否かということにつき漢・倭の古代的なちがいを露骨にひきずっているというのは、おもしろさを通りこして双方の滑稽さが出ているといっていい。いずれにせよ、英国人は以上のような理由で、中国人をダイヴァーとして使うことはあきらめねばならなかったし、げんに中国人のダイヴァーは濠州のこの面の歴史のなかで一人も出現しなかったといっていい。

木曜島には、日本国の鎖国が解けたばかりの明治六年に一人の英国人が日本人ひとりを連れてきて岩礁から海へ飛びこませ、白蝶貝を採らせた伝説がある。というより、神話にちかい。

この事実は、何を典拠にしているということがないために確かめにくいが、当時、木曜島はまぎれもなく無人島であったようである。無人島がもつ一種の――何が出てくるかわからないという――気味わるさが、その英国人をしてここに居住する勇気を持たせなかった。このため木曜島のそばの岩礁（といっても、草木ははえている）に小屋をつくり、さらにはその岩礁に、入念にも城廓まがいの石垣を（おそらく二人だけの労働で）築いた。石垣は日本風のようでもあり、西洋風のようでもあった。やとわれている日本人は、まだ丁髷《ちょんまげ》を結《ゆ》っていたといわれるが、いったい六十余州のどの里の人間だったのであろう。その英国人の顔と思想も知りたいが、知るすべもない。いずれにしても世界中のいろんな人種の中から、水もぐりと貝さがしの唯一の適格者かと思われる日本人という人種をえらんで、人の住んでいないこの海域にあらわれたのは、相当したたかな人物だったかと思える。

この岩礁の日本人のこの特殊労働についての適性ぶりが英国人仲間にひろがったものか、

「日本で（採取船の）乗組員を募集した最初の濠州の業者は、木曜島のミラー船長であった。一八八三（明治十六）年である」

と、オーストラリア国立大学のデイビッド・C・S・シソンズ教授が、「一八七一〜一九四六年のオーストラリアの日本人」に書いている。

もっともこれ以前、明治九年に、南濠州政府から日本の太政官《だじょうかん》政権に対し、「貴国の農民をまねきたい」といってきて、太政官から、維新後まだ日も浅いために諸事制度がととのわない、という理由でことわられた。この誘いが、ダイヴァーにするためのものだったかどうかはわからない。

シソンズ教授の右の研究では、白人もこの作業に適性かどうか、試された、という意味のことが書かれている。右の記述と時期的にどう前後するのか、募集は英国でおこなわれた。海軍を退役した水兵というのがめあてだった。七人の元水兵が、採用された。しかしごく短い期間のうちに、そのうちの三人が死んだ。そのあとの四人も、貝を採る能力が、ごく未熟練なアジア人に及ばなかった。この試みは、白人がこの仕事に適するか（もし適するなら白人にやらせるに越したことがないという気分が濠州側にあったと思われる）ということをわざわざ実験するために政府委員会の責任においておこなわれたという。

この労働の適格者は、とくべつなかんをそなえていなければならない、という。海面を帆走しながら、海面からみてどの海底に貝が多数棲息しているか、さらには鉛のついた重い潜水服で海底をゆるゆる歩行していて、前方のわずかな光のなかでどれが白蝶貝であり、どれが他の物体かということを見わけるかんであった。天成のものといっていい。そのかんについて、シソンズ氏の文章によると、委員会への証人（採取業者であろう）のひとりは、「四人に一人の人間がもっている」といい、他の証人は、「十人に一人だ」と証言したという。

シソンズ氏は、この特性については、人種論というような神秘がかった議論はもち出さず、人種とは何の関係もない、とする。むしろその民族の共通の性格というべく、やがて適格者として発見される日本人について、以下のようにのべている。

日本人を特徴づけるものは、彼等の精力と成功への強い衝動、および高い賃金を得たいという熱望であった。希望者が多いために、ダイヴァーとして選ばれた者は、もうそれだけで十分優秀であった。さらに、ダイヴァーの手当の率が、仕事のあがりにつれて高くなるということもあって、日本人ダイヴァーは、金銭への熱望のために太陽が出ているかぎり働くというほどに熱心であった。

この観察は、正確というほかない。

孤島における経済から世界経済の中に加わった日本は、明治六年までは上古以来のとおり、租税を米でとっていた国であった。これでは国家予算をたてにくいということで、明治四年、にわかに金納制を布告した。このことは農民および農民同様の下級士族階級に深刻な衝撃をあたえ、各地で農民一揆《いっき》が頻発した。室町期以来、日本には十分の商品経済が根を張っていたが、しかし農民の暮らしは原則として自分の消費用品は自分でつくるという自給自足がたてまえであり、貨幣経済にまきこまれないというのが農民の心得であるということを、江戸期、治者や農政家が農民に説いてきた。金納するにも、貨幣がなかった。この時期、現金を持った者に田畑をゆずり、納税金を肩代りしてもらうということで進んで小作になった者が、全国的に多かった。日本において、住民を一人のこらず金銭の中に巻きこんだという意味での本格的な貨幣経済が成立するのは、このときからである。それまでの農民は金を欲しがらなかった、というよりも、すくなくとも身の危険を冒してまで金をほしがるということは、個々の経済の基盤としては、ないにひとしかった。シソンズ教授の見方に従うとすれば、その金銭を得たいという特徴は、明治、大正の農民にかぎる、といえばいえそうである。もし江戸期の農民が、仮りに応募するとして濠州へ行っても、あれだけ果敢なダイヴァーになったかどうか、やや疑問のように思われる。

私は、「甥」とともに、このシソンズ教授の卓越した意見を、宮座鞍蔵老人にみせた。かれは八十ちかい年齢にしては皮膚が色白で、発言はいつも慎重であり、かつては海底を仕事場にしていたというよりも、村役場の収入役をながくつとめてきたというような印象があった。そのとおりだと思うが、と言ってからやや含羞《がんしゅう》のある笑顔をつくって、

「すこし、ちがうようにも思う」
と、いった。ダイヴァーとしてのエネルギーの衝動がどこからきているかについてである。金銭だが、しかしそれだけではない、と老人は言い、かといって的確にそれを言いあらわせないらしく、多くの農民がこういう場合そうであるように、あとはだまった。しかしながらこのひとのいう、あれほどおもしろいことはなかった、ということの意味は、どうやらそこに籠められているようでもあった。

シソンズ教授の観察は、「甥」や私などが宮座老人やその他の経験者からきいてきたところの話を十分に総合化して、本質を抽《ひ》き出している。実験のためにやとわれた七人の英国海軍の元水兵が、この労働において一日五、六回もぐった。五、六回が、労働意欲もしくは体力と見あわせての平均的な限界であったかもしれない。が、「日本人ダイヴァーは、一日に五十回近くももぐった」と同教授は書いている。濠州におけるこの業種の——雇い主としての——経験者に同教授は会ったと前置きして、「日本人と他の人種の違いは、そのエネルギーと金銭への強い願望であったと私は確信している」とその人のことばを紹介している。

このことは、尋常でない。同教授は、書いている。「……日本人が金銭を得るために、大きな危険をおかすことを普通としていた。一九〇八〜一二年の木曜島における日本人ダイヴァーの死亡率は毎年一〇パーセントであった」という。

毎年、一割が人間の生理に反した海底での作業のために死ぬというのは、平和ないかなる職業にもありえないことで、尋常ならざる民族としてひとびとがうけとったのもむりはなく、それは金銭への欲望であったかもしれない。

これについて、「甥」にとっては年若のおじである吉川百次（昭和四年渡濠組）の話を、以下、文章にととのえて、整理してみる。この話をきいたのは、古座川の上流から下流へくだる小さな和船のなかだった。百次おじが、歯のない唇《くち》もとを一文字に結んで、榊《さかき》の木でつくった重い棹《さお》を左右に突き入れながら、当時の話をしてくれた。

あの時代（昭和初年）が食えるというような時代だったかね。小学校の上級に進むと、世間というものの風が吹いてきて、金というものは、町の道を歩こうが田舎の道を歩こうが、ビタ一文落ちていないということがわかるようになった。九州の連中は検査（徴兵検査・二十歳）まで待って、下士官を志願する。気がながいのだ。熊野のこの山の中の人間は、とても二十歳まで待つような悠《ゆう》暢《ちょう》なことはしていられない。わしの家はただの百姓だったのだが、それだけに金《かね》にはうぶだった。かぶというものは畑の二度いも（じゃがいも）のように金が金を生んで儲《もう》かるものだということをすすめ上手な者がきてすすめた。この界隈《かいわい》の農家はたいてい買ったのではないか。わしが小学生のころその会社がつぶれて、株券が紙クズになった。いまでも、その紙クズを自分の記念だと思って大切にしまっている。父親は、負債までできた。わしは尋常小学校を出ると、一家をささえねばならなかった。濠州へ行ったのは、それじゃ。

このことについては、この吉川百次おじより一まわりとしうえの宮座鞍蔵老人も、株の問題こそなかったが、似たような状況にあり、かれが小さな船で濠州へ渡ったという動機について、「動機もなにもありゃせん。われとわが身を売って行ったようなものじゃ。それにしても、あのころの日本は金というものがわずかしか出廻っておらんで、わずかな金が片寄って、わしらの熊野のはしにまでは来なんだのじゃ。むかしの百姓は金が無うても生きてゆけた。御一新このかた、金が無うては百姓も生きてゆけんような時代になった」と言い、「むこうで死のうが生きようが、金というものを摑《つか》んで帰らんことには、一家眷族《けんぞく》どうにもならなかった」と、言う。前記、「金銭への強い願望」というのを裏打ちしている。

さて、吉川百次おじの話に、もどす。

あのころのダイヴァー・ボートというのはエンジンがついておらず、昔からの帆船だった（アラフラ海で仕事する船だけは海が深いということで、小さなエンジンがついていたが、帆船ということに変わりがない。ついでながらアラフラ海での貝採りはずっとあとから開発されたもので、宮座老人が西濠州から日本へ帰る昭和六年ごろ、ちょうどはじまったところで、「濠州にはもう貝がすくなくなった。これからはアラフラ海だ」という声をきいた）。

船は一三トンで、船体だけを遠くからみていると、潜水艦に似ている。マストは二本で、小さいなりに、堂々とした西洋式帆船《スクーナー》だった。前檣《フォー・マスト》だけで、四二尺もあった。主檣《メイン・マスト》は三六・六尺だったように思う。メインセル、フォーセル、トップセル、ジップセル……フォーセルは舵《かじ》の代用になった。トップセルは長走りするときにつかう。ぜんぶの帆をひらくと、蝶が海面をすべってゆくように見えたから、そういう作用をさせるときは「蝶々にせい」とダイヴァーが命じた。

漁師出身者は、案外すくなかった。ほとんどが、熊野とか牟婁《むろ》とかといったような山から出てきた。海を知らない山百姓の子が、あれだけ複雑な帆の操作をおぼえるのだから、いまからおもえば尋常一様なことではないように思えるが、そのころは覚えたという実感もないほどに、たれでも三月もすれば一人前の水夫《クルー》になった。なまじい海を知っている漁師の子のほうが伸びなかった。山百姓の子のほうが、なにがなんでもという逼迫感《ひっぱく》があった。漁師の子でダイヴァーにまでなった者はすくない。昔、熊野海賊といわれて熊野の入江々々にいた連中も、半分は山百姓の子だったのではないかと思うが、これはどっちでもいい。言いわすれたが、帆は七反《ななたん》あった。こういう帆の広さのとなえ方は西洋式でなく、和船式だった。おそらく漁師の子が、「あれは七反や、これは十反や」と言っていたのではないか。

中国人はどういうわけか、ああいう仕事に近づきたがらなかった。毛唐も、だめ。その理由はわからないが、競争心がすくないのかもしれない。日本人は異様とおもわれていたかもしれない。われわれは仲間同士の競争がはげしかった。これを欲得といえるのかどうかはわからない。誰それが一日何トンバイキャップ（袋をあげる）したときくと、それ以上水揚げせねばこけんにかかわるという競争だった（宮座老人のころは、白人のダイヴァーはせいぜい日に一トン揚げれば上等だった。宮座老人がダイヴァーに昇格したころは、日に五トン揚げて「五トン・ダイヴァー」ということで大変な鼻息だったという。そのあと、日本人のあいだに「五トン・ダイヴァー」が幾人も出てきたので、宮座老人は平均、日に七トン揚げ「七トン・ダイヴァー」と呼ばれた。当時、日に七トン揚げるとほうびに金時計をくれるということになっていた。しかし、宮座老人がやがて八トンを揚げるようになってからは、そういう褒賞制がなくなってしまった。だから、褒賞がめあてというよりも記録がめあてだったように思う、と宮座老人はいう。そこへゆくと、一時代若くなった吉川百次おじの時期には、日本人で八トン揚げるというのは古い記録で、たれもがその程度以上揚げた。吉川百次おじは、日に平均、一一トン、一二トンというふうに揚げた。ここまで記録をせりあげるためには、一日中、海底にいなければならなかった）。

　行ったときは、わしは満十五になっていなかった。

「大正の人間がきた」

と、みなからめずらしがられた。

一つの船に、ダイヴァーと潜水補助夫《テンダー》と水夫《クルー》が乗っていた。新入りというのは、兵隊の初年兵どころではなかった。炊事、洗濯、ダイヴァーの身のまわりの世話。ダイヴァーというのは、魔王か殿様のようなものだった。ただ殿様なら何もしないが、ダイヴァーは船長職である上に、海底の労働をして疲れきっている。だから船上では気むずかしく、ちょっとしたことで機嫌を損じると、いきなり拳骨が飛んできた。

ダイヴァーになる訓練というものは、ない。ありえないことだし、たれもしてくれない。親方はほとんどが白人である（まれに宮座老人が傭《やと》われた静岡県出身の村松兄弟商会のように日本人の場合もある）。その親方と、ダイヴァーは契約している。船は、親方のものである。契約している以上、ダイヴァーはその船だけの社長のようなもので、交替はない。ダイヴァーが病死、事故死するか、あるいは事情あって帰国する場合だけ、ダイヴァー職は空《あ》く。

要するにダイヴァーは、独裁者であった。そういう存在の者が、乗組の若い者に潜水の訓練など施してくれるはずがない。すべてこつは盗まねばならない。ダイヴァーが仕事がおわって船へあがると、自分のような子供はダイヴァーに飛びついて行って濡《ぬ》れた潜水服をぬがせ、着更《きか》えをさせる。潜水服は干す。めったにないことだが、なにかのことで潜水服が空いていることがある。夜、こっそりそれを着て海へ沈む。もしみつかれば殴られたりするのだが、かまわずにそれをやる。見様見真似《みまね》で自分が自分を教えてゆくわけで、誰にも教えられることはない。たれもが、ダイヴァーになりたがっている。従って、潜水服を盗み着することも、仲間同士の競争だった。

これについて、シソンズ教授の記述がある。おなじく政府委員会において、白人の傭い主が日本人従業者について述べた証言で、日本人ダイヴァーが海底で事故死したときの目撃談である。

「死体が揚がると、仲間の者が、その潜水服を自分が着るべくとんで行った」

という。ただの乗組員がダイヴァーに昇格するためには、それほどの敢為《かんい》さを示さねばならなかった。しかし多くの場合はダイヴァーの帰国が契機になった。帰国するダイヴァー自身が後釜を指名することもあったらしいが、ふつうは、他の乗組員の総意で新しい頭《かしら》を推戴《すいたい》した。この職ばかりは、名誉心や工作でなれるものではなく、実力であった。実力のない者がダイヴァーになれば、それだけ水揚げが減り、分配がすくなくなるというごく平明な現実がこういう場合を支配している。年齢や年功にかかわりなかった。吉川百次おじが十八、九歳でダイヴァーになったという陸《おか》の常識では考えられないことも、当然おこりうるのである。

吉川百次おじは、言う。

船が小さいために、ダイヴァーの船長室というのも小さい。長さ六尺に幅が二尺、畳一枚よりややせまいのが船長室といえば船長室で、体を横たえるだけの広さしかない。身を安楽にする設備というのは、枕だけである。枕は二つある。一つは普通の綿入れ枕で、一つは抱き枕である。抱いて寝ると体の疲れが癒《いや》されるような気がするし、時化《しけ》で揺れたときもこれを抱いていると転がらない。この抱き枕は乗組員のぜんぶが持っている。乗組員でいえば、テンダーも独立したそういう穴倉を持っている。他の水夫は相部屋である。

われわれに母船などはなかった。船が小さいから二日ほどで船じゅうが貝で一ぱいになってしまう。それを陸へぶちあけるためにのみ港に帰るのだが、貝を揚陸してしまうと、また帆をあげて出てゆく。毎日、日の出前の薄暗いうちから働く。日が沈んでようやく作業をやめる。夜、寝るだけが楽しみであった。波の上暮らしというのはまことによく言ったもので、上陸するのは月に一度ほどしかない。休むのは、大潮のときである。大潮というのは月に一、二日だけある潮の速い日だが、潮のながれが速いと、海底を歩いていてもなにも見えない。

海底の明るさについていうと、ふつうの日は、陸《おか》の人が思うほど暗くはない。一二尋《ひろ》か、一三尋の底を歩くのだが、五メートルほどむこうまで見える。アラフラ海だと二二、三尋の海底をやったらしいから、見えることは見えるのだろう。海の底というのは珊瑚《さんご》や色とりどりの海草、それにいろんな形や色の岩《バン》が起伏していて、陸よりもずっと景色がうつくしい。濠州は六、七、八月が冬季で、北半球とは逆になっている。冬には陸《おか》につめたい風が吹く。そのころの海がいちばん澄んでいて、いわば書き入れどきといっていい。このときは、気が狂ったように働く。気候が陽気になり、西風が吹くころになると、海がにごってくる。にごろうが何しようが、仕事をやめるわけにゆかず、かんだけで海の底を歩いている。十二月はいやな月で、カイカイ坊主が出る。カイカイというのは、どじんの言葉らしく、毛唐もそういっている。坊主というのは日本の漁師ことばで、小さな嵐のことをいう。突如、大雨をともなってやってくる。すぐ歇《や》む。そのあとは海が濁ってどうにもならず、澄むまで船の上でぼんやりしていなければならない。

さきにも言ったとおり、月に一度の休みは大潮のときだが、そのときは女を買いにゆく者もいる。女は、長崎県あたりからわれわれの稼ぎを目あてにやってきている。女を買うか、カチャカチャというばくちを打つしかないといえばそういう境涯で、われわれ出稼ぎ移民というのは、むこうの法律ではふつうの人間にあつかってもらえず、上陸といっても海岸から二マイル以内の土しか踏めず、酒場は入ってもいいが、この黄色い顔をみると客がいっせいに立ちあがって追い出した。働いて、日本の娼妓《しょうぎ》を買って、日本人同士でばくちをするしかなかった。

海には、鮫《さめ》がいる。めったに被害をうけないが、やはり用心が必要だった。鮫は決して横から来ない。下から上へ——ちょうど航空機が離陸するようなかっこうで——襲いかかってくる。だから海底にいると案外やられないが、ともかくもそいつが身のそばを通りすぎてゆくときというのは、何ともいえぬ気持になる。一度、目の前をゆったりと通過して行った。鮫の頭が妙な格好になっていると思ったら、大きな海がめをくわえていた。海がめが身代りになってくれたのかと思った。鮫がしつこく船をつけてくることがある。船上で貝を割って肉を海へ棄てる作業をするのだが、鮫はその肉をめあてにしてくる。ついでながら、貝をこじあけて肉を捨てる働き手は、乗組員のほかにその作業員として現地で傭うことが多かった。日本人をこんな単純な手間仕事に使うのはもったいないということでよく白人を使った。白人というのは利口な人も居る。しかし作業となるとこのくらいの仕事しかできない人が多かった。マニラ人（フィリピン人？）も、島人《アイランダー》も使った。みないい男たちだった。ただ貝の作業をしていて鮫があとをつけてくると厭《いや》がった。しかし日本人の乗組員はべつにいやがらなかった。鮫に馴《な》れてくると、つい鮫も仲間だと思ってしまうところがあるのか、あるいは危険ではないと見切ることが早いのか、それとも危険に鈍感なのか、ひょっとすると、鈍感ということが勝っているかもしれない。

ある年、古座川べりの「甥」の生家で、宮座鞍蔵老人や吉川百次おじと会ったとき、甥が、

「湊千松おじが死んだのは、やはりあれは殺されたんかいな」

と、その名前を持ち出した。

この湊千松という名前は、私も「甥」からしばしばきいていた。かれの幼時の想

い出の核の一つになっているような人物で、甥はいつか機会があれば濠州へ行って、西濠州のポートヘドランドにあるという千松おじの墓に詣《まい》ってみたいといっているほどに、かれの幼時の歴史にとっては存在そのものが古典になっているといってもいいほどのおじであった。母の兄にあたる。

千松おじが濠州から帰ってくるという報《し》らせが当人からきたときは、この峡谷の小さな村は沸き立つようだった。昭和六、七年ごろのことで、「甥」が小学校にあがるか、あがらないころである。千松おじは大正初年に木曜島へゆき、以後各地を転々したらしいが、ともかくも濠州で大金持になったといううわさが早くから伝わっていた。ついでながら、鮫の話をしてくれた吉川百次おじは、この千松を頼って渡濠し、むこうでも「兄貴々々」とよんで慕っていた。血縁はなく、姻戚《いんせき》の関係である。

いよいよ帰ってくるというときは、村も家の中も、百万長者としての湊千松の話で持ちきりだった。そのことが、幼い甥の濠州に対するイメージをすこし変えさせた。あれほど濠州へやられることが怕《こわ》いものと思っていたのに、千松おじのうわさをきくときだけが、ちがうイメージになった。名前そのものに珊瑚《さんご》色の光芒《こうぼう》がかがやいているようにもおもわれた。「千松はとっぱでな」と母方の祖父がいった。とっぱというのは、おっちょこちょいという意味だが、幼い甥はその意味を知らないままになにか英雄的なものを感じた。

「湊千松は、わしよりも五つ上やったから、明治二十九年うまれやった。尋常小学校四年だけでおわった」

と、数字には諸事厳密な宮座鞍蔵老人は、私も同席していた「甥」の実家の座敷でいったが、多くを語らなかった。

吉川百次おじは、元来無口だった。しかし物を質問されれば、どういう言いにくいことでもみじかく的確に答えた。だが、この千松の名前が出たときばかりは、ただ、

「兄貴は英語がうまかった」

といっただけであった。この特技については、甥もきいていた。千松おじは日本で英語をならったことがないくせにむこうへゆくと、たちまち毛穴という毛穴に英語が入ってくるようにうまいつかい手になった。訛《なまり》がないといわれただけでなく、文章のほうでも、無学な濠州人の代筆をしてやるほどにうまかったという。

千松おじが帰ってくるという日、「甥」は、両親や親類の者たちに連れられて、

神戸の税関まで出迎えに行った。大きな英国船がメリケン波止場につき、しばらくすると、税関のむこうから甥たちにむかって、ちょうどバンザイをするように両手をあげている空色の洋服の大男がいた。その人物はまぎれもなく西洋人であったが、甥はどういうわけかそれが自分の母親の兄である湊千松であると信じた。ところが、実際に甥の前に立った男は、背丈は子供ほどしかなく、頭の毛が、齢《とし》には似あわず薄くなっている日本人であった。黒いチョビヒゲをたくわえていたのは、あとできいたことだが、むこうで子供に間違われない用心のためだった。千松は市松模様のようなはでな格子《こうし》縞《じま》の背広を着ていて、甥にとって想像とはまったくちがう人物だったために、なにか映画の中で喜劇役者が冗談で千松おじを演じているのではないかと思えたほどに、その人物には現実感がなかった。

しかしすぐ実物の千松おじに馴れた。

ひとつには、千松おじが、税関の前で荷物をひろげて、蓄音器を一台とりだしてくれたからかもしれない。蓄音器だけでも当時の熊野の山峡ではめずらしかったのに、紙芝居の箱も付いていて、レコードをまわすと、音楽と説明が英語で飛び出してきた。千松おじは、だまって「おまえのものだ」という所作《しょさ》をした。甥は世界が自分のものになったような気がした。この感激は少年期になっても持続した。

ほかに、千松おじはいくつかの荷物を持っていた。おどろいたことにそれらは出迎えにきてくれた人々へのみやげ物ばかりであった。それを神戸のホテルの部屋でわけてしまうと、まったくの手ぶらになった。このおじは見かけによらず、ひどく寡黙だった。ただかれはメリーという毛のながい洋犬を一頭つれていた。村人の前にあらわれた千松は、要するにカメ（紀州では洋犬のことをカメといった）を一頭つれているだけで、何も持っていなかった。この痛烈な印象は、甥の中の千松像の重要な属性になった。

千松が帰宅してから肉親たちが質問するままに犬について説明しているのを、甥は千松の背後にくっつき、ひとことも聴き洩《も》らすまいと思って耳を立てた。

「友達の犬だ。その友達は死んだ」

単語をならべただけのような言葉づかいをした。またどういうわけか、かれはあまり紀州弁をつかわず、どこで聴きおぼえたのか、ラジオでアナウンサーが使うような標準語を使った。その標準語めかしい言葉が出るたびに千松の父である田掻きの祖父はいやな顔をし、あとで千松もああいう人間になっては仕舞いだ、とこぼした。「甥」はこの外祖父が好きであったが、しかし外祖父が千松に苦い顔をしているところまでは付き合う気はなかった。

「甥」は、千松が洋犬をつれて村の道を散歩している姿が好きだった。濠州時代の友人の犬だったというが、いきさつは十分には語らなかった。友人は濠州人で、妻子がなく、犬だけを家族にして暮らしていたらしく、死ぬとき千松に犬を託した。千松は帰国するにあたって犬だけを置いてくるに忍びず、犬を船に乗せた。

「犬にも一人前の船賃を払うたそうな」

ということが、村びとの驚嘆をよんだ。村人はそういう材料から、千松のもっている財産の底知れなさを想像した。甥にはべつな感想があった。かれにはまだ友情というものがどういうものか理解できなかったが、村で見聞きする大人たちの人間関係とはずいぶん違ってハイカラなものをそこから感じ、甥の中の千松像にちがった色彩を与え、像のいろどりを豊富にした。

千松が帰国する気になったのは、甥の外祖父である千松の老父がやかましく帰って来いと言いつづけたからであったが、しかし「父親をなだめるために一時帰国しただけだ」という気配もあり、げんに甥の母であるかれの妹にだけは、「むこうに女がいる」とこっそり洩らし、たれにも言うなといったりした。

かと思うと、

「神戸でホテルを建てたい」

と、定着するような気配も示した。その当時、村ではホテルがどういうものであるのか、十分知識がなかったから、ただ気焔《きえん》として聴いているしかなかった。村の千松の取巻きたちは、千松を百姓として落ちつかせるために、売りに出ている山を世話したり、田畑を買わせたりした。たちまち千松は近在でもちょっとした地主になったが、しかし自分で耕そうとはしなかった。

家も、建てさせ、嫁の世話もした。

嫁は吉川百次おじの妹で、古座川小町といわれたほどの美人だった。彼女は佐奈緒という筆名で和歌山市の新聞に短歌の投稿もしており、そのうえ、えび茶の袴《はかま》をはいて土地の郵便局につとめていたから、この土地のうまれでありながら村の若衆たちも彼女だけは土地離れした別格の存在としていた。年は、千松より十四、五も下だった。彼女はこの縁談をきらいぬいていたが、しかし村じゅうが抑えこむようにして千松に嫁がせた。甥はいまでも当時の村の年寄りたちの千松に対する思い入れのただならなさを思うと、吹き出したくなる。村びとにとって千松は英雄であり、英雄は村にひきとめておかねばならず、ひきとめるためには近郷きっての美少女をあてがわねばならぬとして狂奔した。どこか古代的な、あるいは童話的なにおいがして、甥は、佐奈緒には気の毒であったが、いまでもこの話を思いだすのが好きであった。

湊千松の屋敷は、千松自身が設計した。窓ガラスに白いカーテンがついているというだけで、村びとたちはおどろきつつも、自分たちが共有する誇るべき文明であるとしてよろこんだ。ただ内部の構造には、理解にくるしんだ。寝室が二つあって、夫婦がそれぞれを所有した。それぞれの寝室に、洗面所と水洗便所が付属していた。「夫婦でも互いの生活は侵《おか》しあわない」と千松は言ったというが、村びとたちはそれが濠州というものかと思いこむことによって不安をまぎらわせようとした。不安はすぐ解消した。ほどなく佐奈緒が妊娠したことによる。これによって寝室がたとえ別々であっても千松が佐奈緒を気に入っていることには変わりがないのだというふうに安堵《あんど》した。やがて男の児がうまれ、さらに佐奈緒はつぎの子を身籠《みごも》った。村びとたちの安堵はいよいよ深くなった。

この間、甥は千松の屋敷によく遊びに行った。一日中、千松にまとわりついていることもあった。ある朝、千松の屋敷の寝室の窓下に立って起きたかどうかを窺《うかが》っていると、ガラス窓が観音扉ふうにひらき、千松が顔を出した。妙なものをかぶっていた。甥がきくと、ナイト・キャップというものだ、と千松は答えた。甥は千松がそういう見馴れぬものをかぶっているというだけで嬉《うれ》しく、窓の下で兎跳《うさぎと》びをしてはしゃいだ。いまでも甥が千松のことを思い出すとき、千松はこのときのナイト・キャップをかぶって脳裏にあらわれるのである。

甥はやがて千松のような人間がダイヴァーをしていたのなら、ダイヴァーの仕事も怕くないかもしれないと思い、ある日、海の底をひとりで歩いているのはどういう気持か、と問うてみた。

千松は、答えなかった。

「えいやあ（空気）が来なくなったら、死ぬのか」

とも、甥はきいた。千松は気のない表情で、船上で二人の者がポンプを上下させている、それだけが命だ、たとえ悪気でなくてもポンプを動かさなくなったら、海の底にいるダイヴァーは死ぬ、いくらダイヴァーが威張っていても、それだけで死ぬ、といった。甥の心に、おそろしさがよみがえった。

甥は、潜水病についてもきいた。

「バケツに水を一杯入れて頭にのせても、重い。それが水圧だ」

千松はいった。

「人間なのに魚のまねをしている。それがダイヴァーだ。そのくせ、魚の体をもっていない。海の底で、そのむくいがくる」

死ぬか、それとも一生半身不随になるか、と千松はいった。かれはもともとダイヴァーのころを語りたがらなかった。たまに語っても、このときの物言いのように、あの仕事を憎悪しているかのようであった。

これについて、四十年後に、吉川百次おじが往時をふりかえって甥に語っている。

なるほど、潜水病というのは兄貴のいうとおり、死ぬか、半死半生になる。しかし兄貴はよくわかっていないのではないか。心得次第のもので、わしは何度もやられたことがあるが、あとの処置がよかったために、なんとかきりぬけた。これは自慢ではない。冒険なら自慢になるが、わしらの場合は潜水病の処置についても仕事のうちの一つだから、自慢にもならない。

病気になると、らいふ（命綱）をひっぱって、ともかくも船上に揚げてもらう。釜のフロント・グラスだけははずす。しかしすぐグラスを締め、そのまままた海へほうりこませる。海底へ沈んで行って、もう一度、海底を歩いてみる。つらくとも何でも歩く。海底の潮が早いときなどは、流れが体にぶつかってきて、とても歩けない。しかし歩く。歩かないと癒《なお》らない。潮の流れの中で歩くためには、風（空気）を（耳もとのエア・バルブをひねって）すこし抜かぬとどうにもならぬ。ところが、抜くとたちまち水圧が襲ってきてやられる。こんなことをしているうちに、水圧で胸を圧《お》しつぶされて呼吸がとまってしまったことがある。あわてて上へ揚げさせたが、あがってもまた沈む。繰りかえす。自分の経験では、二三尋《ひろ》まで沈むとなるらしい。一尋は人間の背丈の寸法だと思えばいい。たいていは、とおもえばいい。たいていは、吊ってもらう。五、六尋のところまでひきあげさせて、そこで何時間も吊りっぱなしにしてもらうと、やがてよくなる。

あの男は竜宮城から陸《おか》へ藪入《やぶい》りに帰っているだけで、またもとの竜宮城へもどるにちがいない、といったのは、千松と小学校で一緒だったという県の養蚕指導員で、「甥」が、大人たちのかげでこの話をきいたときは、ナイト・キャップをかぶりながら真青な海底に帰ってゆく千松おじの姿が目の前に見えた。養蚕指導員の予言はあたった。

「ちょっと濠州へ帰ってくる」

と千松が言いだしたのは佐奈緒の体が二人目の子のためにめだちはじめた頃で、甥の記憶では、昭和十二年の暑いころ、日華事変がはじまった直後だった。いま思うと、この戦争は拡大すると思い、自分のような者が日本国の法律のもとでうろうろしているとろくなことにならない、という予感があったのかもしれない。当然ながら両親やきょうだいをはじめ村中がかれに思いとどまらせようとした。

「むこうに未整理の不動産がある。それを整理し次第、もどってくる」

と、千松は言うようになった。あるいは本当かもしれなかった。かれは佐奈緒のお産を待とうとはせず、いいか、もし女の子がうまれたらお前の気に入った名前にせよ、といった。いい気な男だ、と佐奈緒は思った。「もし男だったらどうするんですか」ときくと、航《すすむ》と名づけよ、といった。それだけが、言いのこしだった。千松は神戸から船に乗って、行ってしまった。千松は汗っかきではなかったが、神戸で佐奈緒と別れるとき、パナマ帽を上へつまみあげては頭の汗をふいていた。辣韮《らっきょう》の尻のように小さな頭で、佐奈緒はこの頭のなかに何が詰まっているのだろうと、ふしぎにおもった。

それきり帰らず、やがてむこうで死んだ、という消息がきこえてきた。

その後、戦争がはじまり、濠州からひきあげてきて村に戻ってくる者が多くなった。それらの何人かが西濠州のポートヘドランドの千松の墓に詣ったと佐奈緒や村の者にいった。千松の死が古座川の山峡の小さな社会で確定したのは、そのときからだった。千松の墓の表には千松の名が漢字でなくローマ字で刻まれていた、とも報告された。ということは、墓を作ってくれたひとは、あるいは日本人の仲間ではなかったのかもしれなかった。ともかくも死の事情についてはわからなかった。

私が、にわかに木曜島へゆこうと思い立ったのは、気まぐれにすぎない。早くから一九七六年の五月には三週間ほどの余暇を作って旅行したい、ということを自分勝手に決めていて、そのつもりで仕事の繰りあわせをしてきた。当初はパプア・ニューギニアに行くつもりだった。資料もあつめ、旅行社にもそう頼んでいたが、そのうちにニューギニアが濠州から独立してしまった。私はどういう民族でも条件さえ整えば独立すべきものだと思っている。そのニュースには満腔《まんこう》の共感を持ったが、しかし独立早々の役人たちが、入関業務をどう運営するのか、ホテルで水道設備が故障したときその故障排除はすぐできるのか、奥地へゆく場合にその安全性をどこで確認すればよいか、第一、国内航路は依然としておなじ運営方法でやっているのかどうか、などといった一旅行者としての不安は別問題である。やはり行くにしても独立早々より、物事が安定してから行くほうがいいと思い、やめてしまった。このため、予定していた日数が、空白になった。毎日、散歩のときに寄るコーヒー屋には「世界のコーヒー産地」という大きな地図がガラスに描かれている。ある日、そのニューギニアのあたりをぼんやり見ているうちに、ニューギニアよりもちょっと南に木曜島がある――コーヒーの地図にはむろんそんな ちっぽけな島は出ていないが――と気づき行くことにきめた。

「甥」――と、この友人のことを、この稿ではそうよんでしまっている。いまさら呼称を改めるとしらじらしくなるために、このよび方を踏襲する――を当然、誘わねばならない。かれはかねがね「もし濠州へゆく機会があれば」とつねにいっていた。湊千松おじの足跡もたずねたいし、西濠州の海岸町まで足をのばしてその町の墓地に眠っているそのおじの墓碑の前で日本の線香をあげてやりたいともいっていた。散歩からもどると、すぐ電話をかけた。

「そりゃ、いい」

甥は、電話口で、弾んだ声を出してくれた。なんとか仕事のくりあわせをする、といった。

ただしかれの日常は、以前のように建築設計の事務所だけをやっていればいいという状態ではなくなっていた。むかしから懇意の小さな建築会社に頼まれて役員もしていたのだが、十年ばかり前から、さらに頼まれてその会社の社長をひきうけてしまった。かれは設計家としてはいい仕事をしてきたが、そういう畑の人にはめずらしく経理や営業や現場の進行についてもくわしかったために、結局は忙しい目に遭《あ》うはめになった。これも性《しょう》です、と言い、自分の性分のようなものがこんな仕事をさせられるはめになった、ともいった。幸い、かれが就任すると、会社がうまく行きはじめ、やがて不況期に入ったが、ことわるのに難渋するほどの依頼と契約がつづいていた。しかし社長としての時間のほとんどは上棟式や社員の結婚式などに出たり、関連業種の経営者の慰安旅行について行ったりすることなどでつぶされ、自分自身の時間をほとんど持てなくなった。

——こまったことに、そのころ静岡県の銀行の支店の寮の上棟式がある。

と、電話のときにいっていたが、なんとか外せるかもしれない、とも言った。上棟式というのは土地の神主におはらいをしてもらったあと、現場の天幕の中で、施主代表など関係者と施工代表とが折詰を食べるだけのことで、業務としては社長が臨席する必要はなかった。しかし結局はかれはゆくことにした。その銀行は、かれの会社の先代からの得意先であり、やはり行ってくれなければこまるという意見が社内にあった。かれは江戸時代に生きた人達のように分《ぶん》を心得すぎる対人感覚をもっていて、こんな小さな会社をひきうけていて上棟式にも出ずに濠州へ遊びに行っている、などというのは得意先から傲《おご》りとうけとられるかもしれない、ということが、木曜島にゆきたいというかれの気持を縮めた。

こういう篤実すぎるかれの性格や配慮がつい私にも伝わって、自分だけ行くことがわるいような気持になってきた。木曜島というのは、この島に想いのたけを深くかけているかれこそゆくべきであり、かれが行けないとすれば、かれの想いを私が仮りに引き継いでその島を見てくるしか仕方がないという奇妙な義務感をもたされてしまった。律義者を友人にもった害というものかもしれなかった。

行く前に、吉川百次おじと一夕を過ごすために、熊野へ出かけた。古座川筋には宿がないために、串本にとった。宿は紀伊半島の最南端の海岸にあり、むかいには、池のようにせまい海峡をへだてて大島がうずくまっていた。大阪からは、私よりやや遅れて、「甥」がきた。

古座川からは、吉川百次おじがきた。おじは背広をきていた。黒い靴まではいていたのには、内心おどろいた。私の印象にあるかれは、ごく小柄でよくばねのきいた無駄のない体をいつも黄土色の作業服につつんで、いつも川舟の艫《とも》に立ち、全体がハイカラいなせとしか言いようのない感じだった。無性に猟が好きで、猟となると、我慢もなにもできないようだった。稼業《かぎょう》のよろずやは他県うまれの美人の連れあいにまかせ、四季、川の流れを上下していたし、冬は若い者をつれて山に入り、里に帰るのを忘れたように猪《いのしし》や兎を追っかけていた。老後とはいえ、古座川べりのせまい川と山でその巨大な採取の才能を浪費しているというのは惜しいような気もするが、しかし日本的な農村の湿気をほとんどその精神に感じさせないかれとしては、自分の精神の自由を確保するには、こういう暮らし以外にないのかもしれなかった。

「背広ですか」

と、私はすこしからかってみたのだが、百次おじは乗らなかった。「甥」には、おじの背広の理由がわかるようでもあった。この温泉宿めかしいホテル様式の宿を、意外に行儀のいいおじは正規のホテルと見て着更えてきたともとれるし、今夕はそれなりに夜会だという解釈もあったのかもしれない。おじの行儀は古座川の農村でできあがったものではなく、あくまでも濠州でできあがったようであった。

肉がいいか魚がいいか、と甥がきくと、魚だ、と百次おじははっきりいった。宿では、大食堂の片隅にしつらえられている小座敷で、魚すきの用意をしてくれた。車座になっての魚すきの席でも、おじにとってはパーティはパーティであるらしく、上衣《うわぎ》もとらなかった。

「船《ボート》の上では、何を食べていたのですか」

と、鍋の中ができあがるまでに、きいてみた。

食糧は、親方が面倒をみることになっている。朝と昼はパンです。パンは船の中でイーストを入れて焼く。燃料は、石油をつかっていた船もある。わしらは、薪木《たきぎ》だった。スネーク・ウッドという鉄のように固い木で、燃えるまでが厄介《やっかい》だった。夜は、米です。タイ米だった。三食肉とポテトがつく。肉は、親方のくれる缶詰です。たれもが飽きた。やはり魚は飽きない。魚は、海の上だからじかに釣ってたべる。白人たちがチャイナ・フィッシュとよんでいる小さな魚がうまくて、いまでも一度食ってみたいと思っている。あんたは木曜島にゆくなら、そこで食えるかもしれない。なぜチャイナ・フィッシュというかといえば、濠州の白人が他人種に対して警戒心がつよいということと関係がある。とくに中国人が数が多いということで理由もなく毛嫌いされた。中国人は、どこにでもいる。あの小さな魚も、どこにでもいる。

現地の島々にいる土着人は、のんきな連中で、数をあらわす言葉は一と二しかなく、三からむこうはない。神様が人間を生んでいらい、そういう数だけで済む暮らしを大昔からつづけてきたから、人がよくて極楽にうまれた人間というのはこういうものかと思った。皮膚の色は紫がかった黒色で、体格はりっぱなものです。ただおなじ人種でも、内陸にいる連中は痩《や》せていて、脚なども肉がほとんどついていない。島人《アイランダー》は、肥《ふと》っている。男は大胸筋が盛りあがり、腰がしまり、尻が釜のように出っぱっていて、黒い頭髪がちぢれ、顔も体も仁王に似ている。ひょっとすると仁王というのは、あの海域の連中がインドにもいて、お寺の番人でもしていたのが、ああいうぐあいになったのではないか。島人の女は二十五、六になると小山のように肥ってしまう。顔は男同様、仁王に似ている。夫婦の制度はちゃんとある。夫婦で島をのしあるいているのに出遭うと、すれちがうとき潮のにおいがする。何度もいうが、かれらはとびきりの上人間《じょう》たちで、所有ということもあまりはっきりしていないようでもある。いや、そうでもないかもしれない。女房は持つ。女房の貞操も持つ。持ちすぎてそれを売りにくる。わしらは、月に一度だけ休養して、島や海岸の粗末なダイヴァー・ハウスという木造のペンキ塗りの長屋に住んでいる。ハウスは、大きな樹の下にある。夜になると、人のいいその連中が小山のような女房を連れて、「コンベ、コンベ」といって売りにきて、一戸ずつ戸をたたく。返事をするまでたたく。これにはみな閉口した。島人に貨幣《かね》というものを教えたのは白人だが、貨幣を得るために働くという習慣があまりないために、うまく貨幣が手の中に入って来ない。結局は、コンベ、コンベと言って歩くしか仕方がなかったのかもしれないが、なにやら言いようのない哀しさがあって、いまでも真夏など、大きな樹の下で昼寝をしていると、急にその声が波の騒ぐ音とともに耳の底から起きあがってきたりする。


「兄貴――湊千松――のことか」

話が千松のことになったとき、百次おじはほんの一瞬だが、気持の混乱をととのえようとするように家のそとの大島に視線をやった。そのあと、ゆっくりと、

「兄貴はダイヴァーでなかった」

と、いった。

甥はおどろいた。幼いころから千松こそダイヴァーの中の王だと思いこみ、四十代から百次おじに親しむようになってからも、話題が千松のことになると、幼時の千松への信仰にちかい気持がどうにもならず出てしまい、そのために百次は――かれだけでなく宮座鞍蔵も――内心、事実をいうのにためらっていたらしい。他人か

らみれば事実という言葉さえ大げさすぎる。かつて宮座鞍蔵老人が、「千松さんの湊家は中農以上の家で、あの人が濠州へ身を捨てて行かねばならんような事情はすこしもなかった。事情というよりも、あの人らしく、なにやら気勢《きお》い立ちだけで村を飛び出してしもうた」といったとおり、世界一のダイヴァーになるといって村を出、村を出るときに、まだ幼かった百次を勢いよく抱きあげて、男は命を惜しむな、と言い、いずれお前もよんでやる、といったということを、百次は小学校にあがってから、母からきかされた。甥もそうだったが、百次も千松が言ったというその言葉を、長じてからも忘れられなかった。

湊千松は近郷の串本や周参見《すさみ》の若い者と一緒に神戸から船に乗り、シンガポールを経て木曜島に渡った。これを語っている吉川百次おじは木曜島のことを「タスデ島」と、いった。タスデでのことは、わしとは年代がちがうからよう知らん、と百次はいった。これは想像だけだが兄貴がダイヴァーにむいてないとはどうにも見えん、あの競争心のつよさ、利《き》かん気、かんのよさ、どこから見ても兄貴自身が頬桁《ほげた》たたいたように、ダイヴァーの王になって日に一五トンも二〇トンも揚げる男になったかもしれん、と言う。このあたりは千松への供養というよりも、千松のことになると子供っぽくなる甥の気持をなだめるつもりでこういったのかもしれない。もっとも甥は甥で、百次のそういう取り済《な》し調子を、やや可笑《おか》し味を含んだ表情で受けていた。「すばしこくて、いたちのようでな。すばしこさに程がない」と、百次はいった。ダイヴァーになる前に、ダイヴァーにかしずいて気に入られねばならず、また小《こ》先輩《せんぱい》のテンダーや同僚ともうまくやってゆかねばならず、すばしこさが露骨では狭い船内できらわれてしまう。「あれはあれで、浮世やな、その浮世に兄貴は負けたわけやろな」と百次はいった。要するに、失格した。失格すればそのまま水夫をつづけてわずかな賃金と歩合をとってゆけばいいのだが、とびぬけて自尊心のつよい千松にはそれが耐えられず、それに、故郷を出るときに高言してしまったこともあり、同郷人仲間から飛び出すしかなかった。仲間を飛び出すというのは海仕事をやめて陸《おか》へあがるということであり、かといって濠州の法律で二マイルより奥に入れない以上、陸へあがって出来る仕事というのは、仲間のかせぎをめあてにばくち場でもひらくしかなかった。千松はそれもいやで、百次の察するところ、途方に暮れた時期があったにちがいない。

「兄貴には、いろんなことがあったらしい。西濠州の小さな海岸の町を歩いていた」

道で封筒をひろった。もともと目がすばやかったとはいえ、落ちている封筒に目がゆくようでは、そのときの境涯や心境も、ほぼ察せられる。

差し出し人はこの町のホテルの女主人だった。封を切ると、

――もう一度、自分のホテルで働いてくれないか。

という意味のことが、比較的くわしく書かれている。この文章を読めるまでになっていたということから察して千松は木曜島を離れてからよほどの期間、転々としたあげくのことであったかもしれない。手紙は、そのホテルにむかしつとめていたコック長あてに書かれていた。もどってもう一度働いてほしい、という。あて名のコック長の名はリン・シュウシンで、中国人であることがわかった。

千松が決心したのは、このリンという中国人をこの手紙の住所に訪ね、料理人としての弟子にしてもらおうということだった。リンのアパートは、すぐわかった。二階のその部屋の前にゆくと、ドアの上に、リンの筆蹟《て》らしく白墨でもって、名前が書かれていた。ローマ字のほうはたどたどしかったが、漢字はじつに達筆だった。林秀信といった。ドアをたたいたが、居なかった。アパートの管理人にきくと、林は去年の秋に死んだという。身寄りもいない、と言った。管理人は、この部屋はその後借り手がないままに空いている、お前がリンの身寄りの者なら貸してもいいと

いった。このとき千松の頭がいそがしく回転した。いっそリンの身寄りになればよい、と思った。

次いで、そのホテルをさがした。

この町でも一番のホテルだったからすぐわかった。オリーヴ色のペンキが、古びていた。木造三階で、ロビイへ入ると、その壁面に古風な蠟燭《ろうそく》立てが二十ほどならび、天井からシェードの幾つかが欠けたシャンデリアがぶらさがっていた。その他塗料の剝《は》げた家具類などが置かれていて、全体がほこりっぽかった。これらの照明具や調度類は、かつてこの港の沖の珊瑚礁で座礁した英国貨物船のもので、このホテルの名はその船の船号を襲《つ》いでいた。

千松がその手紙をフロントの男に見せると、どういうわけか、すぐ調理場に通された。すぐ女主人が入ってきた。千松は五十代の婦人を想像していただけに、相手の齢の若さ——といっても見せかけの若さで三十歳だということはきいた——に内心狼狽《ろうばい》し、なにか間違ったかもしれない、とおもった。相手は、かまわずに喋《しやべ》りたてた。自分の母は十年前に亡くなった。その後、父がひとりでこのホテルをやっていたが、それも最近亡くなり、自分が継がざるをえなくなった。自分は田舎で教師をしていたからホテルのことはなにもしらない、あなたは父の下でコック長をしていたから私よりもこのホテルについてよく知っているにちがいない、私が継ぐと、二人いたコックが二人ともやめた、いま年寄りの婦人にきてもらって何とかやっているが、素人《しろうと》だから仕入れのことがわからない、といった。

「私は、リンではない」

と、千松がいうと、相手はとびあがって驚いた。彼女も、軽率だったかもしれない。父の代に数年間コック長をしていたリンが評判のいい男だったときいていたから、物でも取り戻すようにかれに戻ってくれるようにとの手紙を書いた。林の顔は見たことがなかった。彼女は混乱がしずまると、千松に顔を近づけてきて、いきなり、私は中国人が好きです、といった。リンでもあなたでも、中国人であることには変わりがない、あなたはリンになったつもりで今日からこの調理場で働いて下さい、といった。

百次おじの話は、このくだりまでは詳しい。

かれが木曜島に渡ったのは、ひそかに千松を立てて兄貴のひきだということにしているが、手続きの上では濠州から勧誘があって近郷の若い者たちと一緒に渡濠した。ただ事前に、百次の父親が千松あてに手紙を書き送っておいてくれた。当時、千松は濠州本土のどこかにいたのだが、手紙は幸いにも、白蝶貝の採れる日本人の仮り住まい地を転々として、千松の手にとどいた。百次が木曜島についたころ、千松のほうから汽船に乗ってやってきてくれた。

そのときの千松は、いま百次がそれを思いだしてもかなしくなるほどによくしてくれた。かれは百次を大切にしてもらうために、百次のダイヴァーには腕時計を贈り、他の者にはドイツ製の万年筆を一本ずつ贈って、「わしの弟だ」といちいちいった。誰もが千松の名前も顔も知らなかった。

「わしは、ハヤシだ」

と、千松はみなにいった。百次はなぜ湊千松がハヤシなのかと思って、ふしぎに思った。あとで千松は百次を海岸にひっぱり出し、大きなアーモンドの樹の下で、

「おれは林秀信という中国人になっている。だから仮りにハヤシといったのだ。余計なことだから、誰にもいうな」

と、言い、以上の事情を逐一話してくれた。もっとも千松の右の話は、そのときにはすでに七、八年前の過去になっている。百次と会ったころはそのホテルのほかに、その女主人と一緒にべつの町でもう一軒ホテルを経営している様子でもあったが、くわしいことはわからない。また女主人とのあいだがどうなっているのか、千

松は話さなかったし、百次も年がおさなすぎて関心ももたなかったから、いまもってよくわからない。

ただ、そのとき木曜島のアーモンドの樹の下で千松が話してくれた内容の中でくっきり覚えているのは、リンという中国人が医者によって安楽死させられた、ということだった。濠州というのは開拓地として拓《ひら》けて行っただけに、医師不足の時代が長く、このため医師でありさえすればそれだけで珍重された。誤診や手術の失敗などはあまり問題にされず、法律の保護は圧倒的につよかった。この患者は再起できないとなると、患者や周囲を苦しめるよりもむしろ医師自身が安楽死の処置をとるということが、真偽はともかく、とくに有色人種の出稼ぎ移民のあいだで信ぜられていた。安楽死の方法はブランデーを大量にのませるのだという。千松によれば、リンもそれで安楽に死んだ。

「濠州では、病気になるな」

と、千松は笑わずにいった。ブランデーをのまされる。

百次おじの濠州履歴は、千松のそれと入れちがいになっている。

千松は百次と会ったあとほどなく日本に帰っている。甥が千松を神戸港ではじめて見るわけであり、さらには洋風の屋敷を建てたり、佐奈緒と結婚したりするのだが、百次にとっての濠州での人生は千松に会ったときからが出発だった。かれは三年間水夫《クルー》をつとめ、あと七年間、西濠州でダイヴァーをやった。

やがて日本海軍が真珠湾を攻撃し、これに対し、もともと、外交方針の基本を英国への追随に置いていた濠州政府は、真珠湾攻撃の翌日に対日宣戦を布告した。このため、海上に浮游するようにして暮らしていた白蝶貝採集の日本人たちも、敵国人であるということで、藻でも掻《か》きあげられるようにして陸地に集められ、収容所に入れられ、次いで送還されることになった。隊伍をつくって収容所に連行されるとき、濠州人たちは大人も子供も石を投げてきた。百次は濠州の風土や濠州人の物の考え方が好きだったし、自分たちの仕事を通じて濠州の役に立っていると思っていた。白人の親方が百次らの採った貝をそのまま高い値段で欧州へ輸出し、ドルをかせいでいた。百次は、日本国がどんな悪いことをしたのかは知らないが、自分に関するかぎり濠州の不為《ふため》になることはしたことがないと信じていた。石を投げる連中に対し、大声で「君らは間違っている」と叫び、何度も叫んだ。百次が一生のうち大声を出したのは、そのときだけだった。収容所では、ダイヴァー・ボートで帆走している夢をよく見た。よくボートのあとを子鯨が追ってきた。ボートを母親だと錯覚するようだった。そういう夢を二度も三度もみた。

そのころは、逆に湊千松のほうが日本から濠州にもどって、数年になる。百次は千松に会う機会がないままに本国へ送還された。

このため濠州に再び帰ってからの千松の消息は、ほとんど知らない。日本と濠州が断交して互いに交戦国になったあと、千松がこの敵国でどのようにして身の安全を保ったのかもよく知らない。あるいは林秀信という中国人のままで過ごしていたのかもしれず、どうもそうであったにおいがつよい。

吉川百次のダイヴァーの履歴は戦争の開始とともに終了した。濠州における白蝶貝の採集の歴史も、戦後ほぼおわった。しかし、まったく終了したわけでもなかった。

一九五〇年代になっても半ば物好きともいえる業者が、西濠州の一角でほそぼそとそれをつづけていた。ただかれらは優秀なダイヴァーをもっていなかった。日本人をよぼうという声もあった。が、それを実現するほどの気力が業界になかった。一人いた。西濠州のブルームの港に、ボートを六、七隻持っているM・ダニエルという英国人の親方である。かれはかつて吉川百次という天才的な日本人ダイヴァーがいたことを知り、日本の外務省や通産省や和歌山県庁などに照会するうちにやがて住所がわかり、手紙を出した。

百次おじは、その手紙をうけとった。矢もたてもたまらずあの海にもどりたかった。すぐ応諾した。むこうが航空機の手配もしてくれた。むかしは濠州へは船でゆくしかなく、大変な日数がかかった。マニラ経由ながらも飛行機で自分がかつて領土のようにしていた海へゆけるというのは、飛んでいながらもうそのような気がした。このようにして西濠州へ行ったのは、昭和二十九年で、その後、ときどき休暇で帰国したが、数年、ブルームの町とその海と海底にいた。この意味では百次おじは、日本の貝採取のダイヴァーの歴史では、最後の頁《ページ》まで存在した人物かもしれない。

かれは西濠州のブルームにいたとき、そのあいだじゅう、湊千松のその後の消息をしらべていた。

千松が最初やとわれたというホテルをも訪ねた。すでに持主が変わっていたが、リン・シュウシンという小柄な中国人がいたことを覚えている人があり、たぐってゆくうちにポートヘドランドの中央病院で死んだのではないかということまでわかった。百次は、その町にホテルをとり、病院をたずねた。病院では外部の人間がこの種の質問をもちこんでくるのをわずらわしがったが、百次はそのことがわかるまでこの町に逗留《とうりゅう》するといったために、本気になってカルテその他の書類をさがしてくれた。「ひょっとすると、ハヤシという姓かもしれない」と百次が、それを思い出した。その名で入院していた。林秀信の入院は、幸いなことに——というのも妙だが——真珠湾攻撃の一カ月ほど前であった。もし戦時下に入ってしまえば千松のような国籍もさだかでない移民はスパイの容疑をうけても仕方がないところであったが、かれは死ぬことさえ、すばやかった。

病気は、急性盲腸炎であることがわかった。

「手術中に死亡した、とある」

と、医師は古い書類のその箇所を指しながら、いった。たかが盲腸炎の手術で、手術中に死ぬなどは、ふつう考えられなかった。手術のミスによって、たとえば出血多量のために死んだに相違なかった。「この国では病気をするな」と教えてくれた千松自身が、そういう事情のもとで死んだ。気ぜわしくて物事の始末のいい千松は、死に方まで予言していたのかもしれないと百次はおもった。

「兄貴の話は、それでしまいだ」

それ以外のことは自分は知らない、と百次おじはいってから、急に涙を浮かべ、手をあげて胸のポケットから手巾《ハンカチ》を抜きとり、ゆっくり目をぬぐった。窓のそとの大島は、とっくに暮れきっていた。

「ダイヴァーでも、死ぬ」

百次おじは、みずから慰めるようにつぶやいた。千松があれほどなりたがったダイヴァーにたとえなっていたとしても、危険率の高い仕事だけに死ぬことが多い。陸《おか》でも海底でもどっちみち人は死ぬ、というごく哲学的なつぶやきのようだったが、しかし死に方はともかく、生き方ということでいえば、兄貴はダイヴァーになっていたほうがよかった、というふうにも、百次おじはいった。その理由は、はっきりしていた。陸の上で無理な金を得ようとするから兄貴も国籍をいつわったり、名前をいくつも持ったりして苦しいことが多かったにちがいない。兄貴のあの大胆さとすばしこさを海の底でひとすじに使えば貝はいくらでも揚がる、われわれはそれでいいのだ、といった。このわれわれというのは熊野衆を指すのか、千松と百次の二人をさすのか、それとも日本人一般をさすのか、よくわからなかった。しかしこのことは百次おじの哲学の重要な部分に結びついているようにも思われた。

日程からいえば、なんとも滑稽な旅行をした。カンタス航空の便は、夜九時に羽田を飛びたって、ひとすじに南下する。終夜、飛んでいる。途中、硫黄島、グアム島を通過して、あとは冥々漠々《めいめい》とした昏《くら》い空間を飛びつづけている。午前四時ごろ、翼の下にニューギニアの首都ポートモレスビーの灯を見た。木曜島は、ポートモレスビーからわずかに南のトレス海峡に浮かんでいる。しかし急行列車が途中駅を黙殺するように、飛行機はその上をとびすぎ、はるかに南下し、オーストラリア大陸の東海岸を沿いつつ、午前七時すぎ、シドニーの飛行場に着陸した。

シドニーの書店で、サースデイ・アイランドの地図はあるか、とたずねると、係のほがらかそうな娘さんが、私はその島の名をきいたことがない、それはわが国の領土であるか、と逆に質問した。日本人にとってはどの百科事典にも出ているこの小さな、しかも日本語でよばれてきた島が、その本国ではほとんど知られることのない存在であるということが、私に歴史的な旅情のようなものを感じさせた。

木曜島へは、往路やってきた空を北へたどってゆかねばならないが、一気に北上できる方法はなく、蛙《かえる》とびのように途中、泊まりを重ねざるをえない。シドニーで一泊した翌日、国内航空でブリスベーンにゆき、そこで泊まり、翌々日さらに空路北上してケアンズに達し、この西部劇に出てきそうな町で一泊した。その翌日、ようやく木曜島をめざしうる。小さな旅客機に乗ってヨーク岬をつたいつつ北上したのだが、帰りはまたこのコースを逆につたってシドニーまでもどってゆかねばならないかと思うと、うんざりするよりも、北半球の極東の小さな国で作られた距離感覚がなんの役にも立たずに崩れてゆくことが、むしろ快い痛みをともなうようであった。

目の下のヨーク岬というのは、日本の本州よりも大きいかもしれない。一面の薄緑の平面で、緑が単色であることは、一種か二種類程度の木しか生えていないに相違なく、目をこらすと、パルプ材以外にはなりそうにない矮《ちい》さな雑木のようだった。人家は見えなかった。ところどころに沼ともいえない湿地が光っていて、真夏のシベリアを思わせた。尖端《せんたん》に近づくに従って、土が赤レンガよりも赤くなり、赤い平面がひろがったり斑《ぶち》になったりした。案内書から推量するに、ボーキサイトの露頭のようだった。岬の尖端で、本土における最後の飛行場に着陸した。滑走路は真っ赤だった。人家は数軒みえる程度で、ここに飛行場がつくられている理由がよくわからなかった。しかし乗客のほとんどがここで降りた。降りた客のなかに神父さんが、一人まじっていた。

——あいう僻地《へきち》では、教会が大変力をもっているのです。

と、銀行業務のためにシドニーに駐在している友人が教えてくれたことを思いだした。濠州では、この大陸に古代から住んできたオーストラリア諸族とよばれる原住民がいる。長頭型の頭と、深い眼窩《がんか》、ひらいた小鼻、ちぢれ毛を特徴とするかれらは、ごく最近まで金属器を知らず、石器時代をつづけ、ブーメランとよばれる木製の投擲具《とうてきぐ》で動物を獲《と》ったりして暮らしてきた。十八世紀末に白人がこの大陸にやってくるとともに、初期においては鳥獣のようにかれらは殺され、当初三十万と推定された人口が、いまでは三万に減っている。ごく最近になって、濠州政府はかれらアボリジナルとよばれている原住民に対する保護政策を進めるようになった。かれらの中にはなお頑固に原初の暮らしをつづけている者もあるが、多くは鉱山、土木、牧場などで働くようになった。私がきいた話では、かれらを社会的に組織しているのはカトリックの教会であるらしい。かれらの居住区からあらたに地下資源が発見されると、教会がかれらの代弁者になり、その所有権を主張し、最近ではその主張が勝つようになった。地下資源の発掘者側が所有者に一定の比率でもって金を支払うために、かれらの生活水準はすこしはあがり、ひいてはその金の何パーセントかが教会に入り、教会もまた活動のための経済力をもつようになった、という。

いま、この旅客機を降りた神父も、経済的にはそういう基盤の上に乗っているのかもしれなかった。

小さな旅客機は、ふたたび飛び立った。

北に進むにつれ、この大陸がしだいに細くなってゆき、やがて波が砕け散る黒い断崖《だんがい》と、泡立つ海の中に見えかくれしている幾つかの岩礁に化《な》ってしまったとき、大陸から離れて眼下は海になった。

やがて小さな島々があらわれ、旅客機は脚を出した。木曜島はあまりに小さすぎるために滑走路がなく、旅客機はそのとなりのホーン島をめざした。着陸すると、草むらの中にセピア色の蟻塚ばかりがめだった。人家は見えなかった。あとは小さなランチで木曜島に送られた。どの島も珊瑚礁でふちどられているために、海面はエメラルドを溶かしたようで、ランチが無造作に波を立てているのが残酷なほどに美しかった。太陽が暑かった。木曜島の粗末な桟橋に脚を移したとき、目がくらんだほどだった。

（こんな島か）

桟橋に立って、むこうの渚から盛りあがっているひくい丘をながめたとき、あれだけの体力と時間をつかってやってきた代償としては、美しさに欠けていた。丘をおおっている草木は、いかにも養分のすくない土にはりついているといった程度に淡く無愛想な緑にすぎなかったし、その景観をひきたてるような建物もなく、ところどころにバラックのような建物が乱雑に隠顕していた。手前にはクレーンがあり、そのむこうには鉄銹《てっさび》のついたなにかの作業場があった。いかにも、人間どもがこの島を稼ぎの場所としてしか見ておらず、誰もが定住しようとせず、誰もがここを故郷として愛していないといった手ざわりの粗々《あらあら》しさが感ぜられた。

栈橋には、島人の女どもが腰をおろして、魚を釣っていた。むろんスポーツとして釣っているのではなく、釣れればやみくもに晩めしにして食ってしまうという、一見悠暢《ゆうちょう》にみえるそういう風景も、変に即物的で、あらあらしかった。突堤を島にむかって歩いてゆくと、むこうからめいめい作業道具をかついだ二十人ほどの島人が、仁王が重なりあってやってくるようにして近づいてきた。たれもが気ぜわしそうで、かれらの人相、骨格がもつ本来の悠暢さなど、どこにもなかった。かれら島人もまたこの島のうまれでなく、多くはニューギニアあたりでうまれ、ここを稼ぎ場所にしているだけであるようだった。かれらが貨幣というものを手に入れるシステムの中で、そのシステムに適《あ》うべく自分の身動きや頭の回転を作りあげた歴史は、もう百年というほどに古びている。パリや東京にいる労働者とかれらが本質的にちがっているという部分は、たとえあったとしても、ごくわずかな量であるようだった。

私は予約しておいたホテルにたどりついて、部屋に荷物をおろした。

ホテルは、平屋建てだった。混凝土《コンクリート》ブロックを積みあげてそのワク組みの上にトタン屋根を貼《は》ったような、いわば公衆便所の建築法のようなホテルであったが、それでもこの島ではクーラーを一、二の部屋に設備しているという点で第一等に位どりされているホテルだった。ぜんたいに湿気がつよく、汗が容易にひかなかった。シャワーをひねると、把手《とって》がとれた。裸のまま大声で宿の主人をよぶと、妊婦服を着た若い嫁のほうがやってきたために、いそいで着更えねばならなかった。

「このホテルは、本土から金を持ってきた男が建てたんですが、いまは若い息子夫婦にやらせているんです」

と、このあと、夕食のときに、狩野氏が説明してくれた。

陽《ひ》が落ちきってから、夕食にした。

ホテルにたった一つある小さな食堂を、私どもは独占した。手紙の上では旧知だった狩野氏と牟《む》ろ《ろ》口《ぐち》氏が食卓に着き、私のために木曜島心得を指南してくれた。両氏は、開襟シャツに半パンツといった服装で、両氏とも白いソックスをはいていた。

「木曜島ではこのソックスだけが大事なんです。ソックスさえはいていれば上はどんなかっこうでも、正式の服装になります」

と、牟婁口氏はいった。

狩野氏は新制大学になったあとの水産講習所を出て四十前までは水産会社につとめていたが、いまは独立し、昨年エビの冷凍工場を木曜島に設けて今年から操業しようとしている。家族は本土のブリスベーンに住み、かれは単身木曜島に家を借りて自炊していた。

牟婁口氏は、三重県側の熊野灘のそだちである。根っからの海洋技術者といった感じのひとで、東京に本社をもつ真珠養殖の会社の木曜島責任者だった。厳密には木曜島が本拠ではない。事業所と宿所は、木曜島のそばの金曜島という無人島にあり、その透明度の高い海域に真珠の筏《いかだ》をうかべ、現地人をつかって養殖をしている。家族は東京住まいで、このひとも単身の島暮らしだった。かれの住む金曜島には、人間にちかい体格の動物といえばワラビーとよばれる小型のカンガルーしかいない。

牟婁口氏は、おなじ熊野灘沿岸のうまれのせいか、物言いから目鼻だちまで私の友人の「甥」に似ていた。

木曜島という、元来が無人島だったこの島の名を世間に印象づけたのは、明治十年代から太平洋戦争がはじまるまでこの島にきて海にもぐっては金を本国に送りつづけていた日本人たちであった。しかしいまは日本人といえばこの両氏のほかに、両氏を手伝うために日本の各地からきている数人の若い人が居る程度で、両氏の話をきいていると、鞍蔵おじも百次おじも、歴史の遠霞の中に消えてしまったというさびしさを覆《おお》うことはできない。

「そういうふうにいえば、藤井富三郎さんなどは、生きた記念碑かもしれませんね」

と、狩野さんはいった。

この島で、白人たちから「トミー」とよばれて、どういう理由ということなしに尊敬を受けている老熊野人がいて、それが狩野さんのいう藤井富三郎氏だった。かれは、もとダイヴァーであった。木曜島を生産的な島にしていたのはダイヴァーたちであったが、かれらの職業そのものが、島に数百の墓碑を遺したまま世間から消えてしまったこんにち、藤井老人の存在は、たしかに生きた記念碑というべきものであるかもしれず、島にいる濠州人たちも、

「トミーは、昔、潜っていた」

というだけで、一種、畏《おそ》れを帯びた思いを持っていた。

この翌日、狩野さんの運転するトラックの荷台にのせてもらって、島のひくい丘をいくつか越え、草が視界いっぱいに茂った斜面まで連れて行ってもらった。この斜面一帯が、日本人墓地だった。

墓碑のむれは、行儀よくたちならんでいるのではなく、穴を掘った友人たちが気に入った場所ごとに墓があるという感じで、濃い草の中を用心ぶかく足を踏みおろしてゆくうちに、不意に「明治三十何年」といった文字の入った墓石を見つけるといったぐあいだった。ほとんどが俗名のままで、まれに戒名が刻まれていたりした。どの墓石も花崗岩《かこうがん》であることに驚かされた。この島やこの付近の石材ではなく、そのつど日本からわざわざ運ばれてきたものに相違なかった。墓を作ったのは、島の日本人会に相違なく、わざわざ日本から石材をとりよせるというところにかれらの友情のあつさが想像できたし、なによりもそれを可能にしているのは日本人会の財力に相違なく、「十九歳ぐらいで県知事の月俸ぐらいの収入があった」という吉川百次おじの言葉を思いだすと、それも当然かもしれなかった。

この草の斜面をふちどるようにしてユーカリの林があり、丘のむこうはすぐ海だということはわかっていながら、この赤い幹の樹の群れは、はてしもない奥までつづいているように思えた。斜面の前は、水道になっている。水道を成立させているのは、金曜島で、ちょうどその島影が逆光になっていて、陰気な濃紺だけの色面を盛りあがらせていた。水道は島影を映して色が暗く、どことなく死後の世界を思わせた。

帰路、島の他の高所へ行った。そこには赤くさびて防盾《ぼうじゅん》のこわれた要塞《ようさい》砲が二門、朽ちていた。大戦中、濠州軍はこの海峡に日本の潜水艦が入ってくることを警戒してこれをそなえたのだという。砲身の上にのぼって見晴らすと、たたなづく青垣山といった感じで付近の島々が見えた。ごく手前に、岩礁があった。

「あの岩礁は、新婚島といわれています」

と、狩野氏が、説明してくれた。ひょっとするとあの岩礁は、明治初年に、丁髷《ちよんまげ》を結った日本人が英国人に連れられて、最初にそこを根拠地にしたという島ではないかと思い、狩野氏にきいてみると、かれは聡明すぎるほどの容貌《ようぼう》をこのときばかりは皺《しわ》だらけにして、そうです、あの島です、と漫才師かなにかのようにゴム草履《ぞうり》をはいた片脚を高く揚げてみせた。狩野氏が、この程度の話柄《わへい》でなぜこれほどまで昂奮《こうふん》したのかはよくわからない。エビの冷凍という狩野氏の新規の事業は、日本の商社からも温かくは見られていなかった。木曜島付近にエビが大繁殖しているという景況を見つけたのは狩野氏だった。それを現地人に獲らせ、島で冷凍してそのまま日本に送れば事業になるという着眼であったが、エビほどその年々の天候に左右されるものはなく、狩野氏がエビの大繁殖している海域を見たときと今年とでは、また状況が変わっていた。それを押して冷凍設備をこの島に造ったのはこの人の男らしさだが、しかし私どもが島をたずねたときは、エビの不漁が伝えられていた。狩野氏は事業を開拓している人として気に病むことが多かったはずで、そういう日常の気分のなかから、あの岩礁をあらためてみたとき、そこに江戸時代が終ったばかりの時期に日本人が来ていたのではないかと思うと、わけもなく気分が晴れるような衝動があったに相違ない。

狩野氏が、はじめに「新婚島」といったのは、そういう話柄とはべつのものだった。島人にも白人の風《ふう》がひろがって、結婚をすると旅行に出かけるという。このまわりの島々に住む島人たちは、目の下にあるこの小さな岩礁まできて数日過ごすという。そのための小屋のようなものも建てられている、ということだった。英国人の親方と丁髷の日本人とが、たった二人を外敵から守るために石垣を積みあげて小さな砦《とりで》を造ったといわれるその岩礁が、その後、島人の新婚の男女に利用されているというのは、べつにふしぎでもおかしくもないが、時が流れてゆくというのはそういうことかということを考えさせた。

「このトレス海峡のあたりは、潮が速いんです」

狩野氏は、水産会社時代に、一等航海士として世界中の海域を知った。かれは、このあたりの潮について、むずかしい海洋学の理屈をぬいて、

「ごく大ざっぱにいえば、太平洋とインド洋の潮の抜け通るところです」

と、説明し、むかしのダイヴァーは潮の速いときはつらかったでしょうな、といった。

島に滞在しているあいだに、二度夜会に招かれた。

「島では、夜になるとすることがないんです」

と、狩野氏がいった。だからさかんに夜会がひらかれる。あまり冗談を言わない牟婁口氏が、重い口をひらいて、パーティ・ゴロというのもいるんです、といったのは、可笑しかった。招かれないが、ソックスをひざの下まで高々とはいてどのパーティにも顔を出す。自分のウィスキーとグラスは手弁当で持参してゆくからたれもとがめることができない、という。

「婦人の夜会服はどうなりますか」

「ロング・ドレスであればいいんです。足までかくれていれば、それでいいというのが、島の憲法のようなものです」

狩野氏は、教えてくれた。

私が招かれた最初の夜会は、主催は日本人会で——といっても実際には牟婁口氏と狩野氏のことだが——島じゅうの名士が招待されているというもので、しかも晴れがましいことに私が主賓だった。ふつう島の夜会はめいめいの家でひらかれるが、このときは会場は島でただ一つのモーテルである「レインボウ」ということになっていた。

日が暮れる前、私は自分が泊まっているホテルの居酒屋に行った。私はこのホテルの構造についての説明力がない。ホテルという言葉をつかうよりは、もともとは海浜の居酒屋だったのが、小金ができたからその裏の砂地に混凝土を薄くのばしてその上にブロックを積み、トタン屋根をかぶせ、一応は宿泊できるようにして客を泊めているという仕組みだった。おそらくアメリカの開拓時代にでもこれほどがさつな田舎宿はなかったろう、と思われるほどだが、それでもシドニーやキャンベラのどの一流ホテルよりも宿泊費は高い。木曜島にあっては、すべての物品や物資を本土からとりよせざるをえず、この一事をもっても島の諸式の高さがわかる。

このホテルには玄関がない。玄関にあたる位置に居酒屋が薄ぎたないカウンターをめぐらしている。濠州は、アルコール中毒患者が多い。この居酒屋は島で唯一の酒場だけに、島じゅうのアルコール中毒患者がここに集まっているということになる。

この日、昼に狩野氏に会ったとき、

「大変な噂《うわさ》のうずですよ」

と、私にいった。朝から電話がかかりっぱなしだ、という。「カノ、お前が連れ歩いているあの日本人は、この島に何を投資するつもりか」といううさぐりの電話だった。この狭い島で暮らしている白人たちは、他のうわさだけが楽しみで生きているといっていい。私が、狩野氏と島一番の高所である廃棄砲台の所で島のまわりを見た、というのは、一時間後には会話入りで島じゅうに知られてしまっていたという。

この島にいる白い濠州人というのは、事業家をもふくめて、ほぼ本土で志を得なかった人達といってよく、海岸を歩いている人も、居酒屋にいる人も、誰もがのびやかな表情をもっているとはいえなかった。もしあらたにこの島に投資しようとする人物が現われれば、その事業に関連する部門をいちはやく考えるか、それともそこへ自分を売りこんでマネージャーになるか、ともかくも新しい資本の到来は、島じゅうの誰にとっても無関係でなかった。もっとも、湧き水さえない木曜島というのは空《から》の皿というにひとしく、ここを掘ってもたたいても、投資の対象になりそうな可能性などは、皆無だった。

（ここは、ダイヴァーだけの島だったのだ）

と、私は思わざるを得ないが、それでもなにがしかの欲のたねがころがっているのか、濠州の筋目の体制とはまったく関係のない、その意味でのあらゆる顔つきの人達が集まっていた。私にはよくはわからなかったが、この島で生産的な仕事をしているといえば、牟妻口氏と狩野氏のほか、数人もいればいいほうではないかと思われた。

私は、居酒屋で、狩野氏を待った。いろんな男が、たがいに無関心であるような顔つきで、酒を飲んだり、撞球をしたり、あるいはなにもせずに壁ぎわの椅子にすわって表を見ていたりした。私はかつてサマセット・モームが、自分は町角にすわって人々を見ているだけで小説が書ける、という意味のことを書いているのを読んで、そういうばかなことはありえないと思っていたが、ここへきてたった一日しか経《た》っていないというのに、モームの言葉がうそでないことがわかるような気がしてきた。

たとえば、私がこの居酒屋に入った早々に、客の一人からあいさつされた。

「フジへ行くのかね」

と、かれが言ったが、私には理解できなかった。何度か繰りかえさせて、やっとフジとは富士山でなく、藤井富三郎老人のことだとわかった。

「行かない」

と、私はこたえたが、これは彼のほうが正確で、私のほうが間違っていたということに、あとで気づいた。「レインボウ」とは要するに藤井老人の夫人の経営する店であり、そこが夜会の会場である以上、私はたしかに、いまから狩野氏とこの居酒屋で落ち合って、フジへ行くのである。

「私は、木曜島に永く居すぎた。やっとここから出る。一週間のうちに本土に帰る」

と、そのスペイン系の五十男が言った。小柄で、一見して老いた独身者と見えるかれは、鉛の白粉《おしろい》を塗ったように血の気のない顔をしていた。かれは、狩野氏によれば、自分の半生でうまく行ったという事は一度もなかった、というのが口癖になっているというが、そのあげくのはてに、去年、作業現場で足を踏みはずし、信じられないほどの高さから落下した。奇蹟《きせき》的に命に別条なく、右脚を骨折しただけだった。この点、濠州は労災に対する補償が進んでいて、しかもかれの場合、委員会が、かれが落下した高さに驚き、かれの怪我の大小よりも精神的な衝撃が大きかったろうということに力点を置き、信じがたいほどに多額の金を出してくれた。このことは、一時、木曜島じゅうで持ちきりの噂だったし、たれもがかれの幸運をうらやんだ。かれはこの金で本土の田舎町へゆき、アパートでも買いとって余生を送る、というのである。

ほどなく、狩野氏がきた。

「カノ、お前のファミリー・ネームを教えてくれ」

と、その人が立ちあがり、紙と鉛筆を狩野氏に渡した。別れるについて、後日手紙でも出そうというつもりであったにちがいない。狩野氏は、それを書くと、その人物はかぶりをふって、ファミリー・ネームだ、といった。かれは「カノ」というのを名前だと信じこんでいたようで、狩野氏がそれを説明すると、かれは新種の哺乳類でも発見したようなはげしい表情で驚いてみせた。この島における人間関係というのが、この小さなやりとりだけで、わかるような気がした。

宿から砂浜を踏んでほんの二十歩もゆくと、海岸道路である。舗装されている。この舗装みちの海よりの側は低い崖《がけ》になっており、そのむこうは夜の海だが、星の光がそうさせるのか、あまり暗くはなく、ごく心理的な色彩イメージとはいえ濃く昏《くら》い藍《あい》色にひかってみえる。潮風が、こちらにむかって吹いている。海面には、おそらく長いのは一年以上も動いたことがなさそうな大小の船が腰をおろしていて、それらの灯が点々としずかな波間に光っていた。

「夜だと、港にみえますね」

「水道です」

狩野氏が、いった。木曜島は、周囲の島々とのあいだに水道を構成しているために、格好の錨地《びょうち》になっている。かつてダイヴァーの基地として他の島々が選ばれずこの島が選ばれたのは、この錨地が魅力だったからに相違ない。

狩野氏は、しきりにゴム草履の音を立てている。いまから夜会にゆくというのに、半パンツの下は裸のほそい脚で、ソックスをはいていない。かれは航海者としても漁撈者《ぎょろうしゃ》としても、もしくは科学知識の豊富さの上からも、この島ではずばぬけた人で、人種の如何《いかん》をとわず、たれからも頼りにされている。かといって親方になるふんいきの人ではなく、あくまでも知的技術の無償提供者という感じだった。狩野氏に対する島のひとたちのそういう気分が、ソックスをはかないかれを黙認してしまっているのかもしれない。

途中、この島に寄り合って作られている一種の社会について話してくれた。

「普通の社会は、一人一業で暮らしていますが、この島では一人でいくつも仕事をもっています。変身もします。いま居酒屋にいたスペイン系の濠州人も、この島にきたときは散髪屋でした。私も刈ってもらったことがあります」

狩野氏は、海員あがりらしく髪の毛を短くしていた。

「かれは島ではいろんな仕事をしました。最後には電気技師でした。電気技師のときに高い所から落ちました。いまでは政府から二十五万ドルという労災の補償金をもらっていますから、島一番の金持でしょう。本土でアパートをもつということでしたが、ケアンズでもう四棟も買ったそうです。私はかれとは友達ですから今夜のパーティに招《よ》んでやりたいのですが、島はむずかしくて、かれがゆくと自分は行かない、という白人が多いのです。かれが、一躍大金持になったことが、人々の気に入られていません。濠州人は大陸に生活しているだけに一般に寛闊《かんかつ》な人が多いのですが、そういう人達もこんな小さな島にくると島根性になって、人の悪口をいったり、小さなグループごとにかたまったりします。環境ですな。ただ、藤井さんは、ちがいます」

トミー・フジイとよばれているこの老人は、島の濠州人たちが、トミーそのものが海だ、といっているらしい。かれは一日中ひとと口をきかないほどに無口で、自分ひとりの自由を守っている。しかし他の人に対する寛容さが大きいだけでなく、ひとびとが藤井氏を必要としたときは、海洋のような包容力をみせるという。

「かれの奥さんは、そういう藤井さんを宝もののようにしています」

夫人はもう六十になるかもしれない。めずらしく木曜島うまれで、濠州人と中国人の混血ということだった。若いころ、あかるくて機転がきいて評判の娘だったというが、そういう彼女が無口で笑顔一つみせない三十男のトミーを、海からあがってくるたびに親切にしたというのは、やはり木曜島を舞台にしてこそ情感が一入《ひとしお》異なる話かもしれない。

ダイヴァーが島で結婚するなどということは、稀有《けう》に近かった。男ばかりの島だったし、結婚しようにも相手がいなかった。

藤井夫人にとって、苦労のたねは、日本人と結婚したことだった。日本という国はむやみに戦争をしている国だったが、太平洋戦争をはじめたとき、藤井さんは遠く濠州本土の収容所にひっぱられて行った。戦争がおわって帰ってくると、ダイヴァーという職がなくなっていたし、たとえあっても藤井さん自身この危険な仕事をつづけることを考えるようになった。妻子を島に置いておいて、かれらの可視範囲の海にもぐるなどというきわどいことは、人間の日常感覚としてはできにくいことのようだった。

彼女は自分のほうで、家計の面倒をみることにした。いろんな商売をし、一つずつ小さく成功し、やがてそれが、モーテル「レインボウ」になった。濠州ではもっとも人気のある宿泊設備としてモーテルが、全土のどこでも行きわたっていた。ホテルに関するかぎり私は自分がとまっているホテルが島一番だといったが、モーテルについては「レインボウ」だった。もっともモーテルは島に一つしかなかった。

とすると、藤井さんは日常なにをしているのか、と狩野氏にきいてみた。

「この島に、病院ができています。そこの補修のための大工をしています」

藤井家は子供も孫も多く、その邸宅は、本来小屋のような家の多いこの島では第一等の大きさで、自分の家で扉の具合をなおしたり、孫のおもちゃを作ってやるだけでも隠居としての仕事はあるのだが、毎朝、陽が昇ると大工道具を肩にかついで病院のある丘へのぼってゆくという。島では一人の人間が仕事をいくつも持っている、と狩野氏はいうが、それはそれで理解できる。この島には、本土から一定の専門技術をもつことなしに——だからこそ本土からはみ出して——出稼ぎでやってきてしまった人達が多い。かれらは、見様見まねでいろんな仕事にくびをつっこんでは賃銀や口銭を得、やがては本土に帰れることを楽しみにしている。このために、朝は車の運転をしていたかと思うと、午後はランチを動かしているといったように、時間をむだなく金にするというふうにやっているが、藤井さんの場合はちがっていた。かれはもう六十九歳という年齢で、その齢になってなおみずから求めて労働をしているというのは、濠州ではふつうありうるという例ではなかった。しかも藤井家は、例の二十五万ドルの補償金の人をのぞいては島一番の金持だったし、なによりもかれは、金をためて本土に帰ることを楽しみにしている出稼ぎ人ではなく、この島で稀有な存在ともいうべき定住者だった。毎朝、大工道具をかついで病院までゆく必要がなかったのだが、ともかくもそういう日常をつづけている老人であるらしい。

左手に、水道の船の灯を見ている。

やがて、どういう枝道をとったのか、海が見えなくなった。いまどこを歩いているのか、小さな島であるのに、地理がのみこみにくかった。丘陵とも言えないほどの緩勾配《かんこうばい》の隆起が複雑に上下していて、ぜんたいにフライパンの上で卵をかきまぜたような形状になっているらしい。

昼の印象では草木がすくないようにみえたが、夜景になると、くろぐろとした樹木と、圧倒されるような叢《くさむら》だけがめだった。道中、家の灯が、ほとんど見えなかった。家屋は、どういうわけか路上に沿って建てられることがすくなく、路面からひっこみ、叢を幾重か置いて、ひっそりと建てられている。家の灯は、叢を通してまで道路に洩れてくるということは、普通、無いように思える。

ほどなく道路が坂になり、ひろくなったように思われた。道路わきに大きな樹が、道路いっぱいを蔭にするほどに枝葉を繁らせており、家々も道路に沿ってならんでいるといった一角になった。一見してこのあたりが、島では格式のある通りのようだった。

この通りに、島ではめずらしく赤レンガ造りの建物が、四つばかりのガラス窓を道路側にむけており、赤レンガの壁面の上辺に、品のいい書体で屋号が書かれていた。「レインボウ」であった。

路上からドアを押せば、そのまま食事のための椅子、卓子の置かれたせまい食堂であり、入るとすぐ厨房があった。床の面積は十坪もないかもしれないが、それでも島では「レインボウ」で催される夜会といえば、もっとも華やかなものであった。椅子や卓子は片づけられて床が広くなっている。片づけられた椅子は、すべて壁にくっつけてならべられていた。まねかれた婦人たちがここにすわる。男たちは、床に立っていなければならない。

定刻になると、床も椅子も、紳士や淑女で満ちた。自分の手持ちの葉巻をくばってくれる人もあって、すぐなごやかになった。壁のそばの婦人たちは、狩野氏が教えてくれたとおり、つまさきまでかくれるような長いドレスを着ていた。柄がそれぞれ奇抜で、熱帯の海風の如く夜の粧《よそお》いにふさわしく、なるほど女性というのは花のイメージなのかという平凡なことが、女性のすくないこの島にきて理解できたような感じがした。平均年齢は、六十歳に近かった。

牟妻口氏の下に、谷沢という三十代の技師がいて、かれの夫人だけがとびきり齢若く、言葉がよくできることもあって他の婦人たちとの会話がとぎれることがなかった。たいていの日本人の家族は木曜島のさびしさに辟易《へきえき》して日本から離れなかったが、谷沢夫人だけは木曜島にやってきて、家庭を作った。

この島の唯一の新聞社の社長という老婦人がいて、スペイン系のくっきりした目鼻をもっていた。新聞は週刊で、彼女ひとりで記事を書いたり、広告をとったり、印刷をしたりしているというが、大きな体のわりには少女のような笑い声を立てた。文章を書くことが好きなんです、といった。噂で充満しているこの島にあっては、社交欄や人事往来の取材をするのに不自由はなさそうに思われた。

彼女の主人もきていた。主人は、本土から古いクレーンを買ってきて、桟橋にすえつけ――私がこの島に上陸したとき最初に目についたのが、そのクレーンだった――、それを動かすことを事業目的にしていた。かれは、島でも有力者のひとりだったから、その夫人とともにここにやってきたというのは、この夜会に重さを加えていた。今夜は、もう一つ銀行主催の夜会があるというのに、かれもかれの夫人も、こちらのほうにきているのである。そのことは、この夜会を準備した牟婁口氏を満足させていた。

五十歳ぐらいの、いかにも生気のあふれた感じの人物が、米軍の軍服のようなものに身をつつんで、さかんに飲み、話し、哄笑《こうしょう》していた。たずねると、「私は軍人じゃない、神父です」といった。そういえば、米軍の将校服には小さな金属片の階級章がついているが、この神父さんの服の同じ場所に、似たような金属で、十字のしるしがついていた。

「この土地は暑いから、教会ではこういう服装を正規のものとしている」と、いかにもアングロ・サクソン顔のその神父さんがいった。かれの教区はじつに富裕だという話も、他できいた。このあたりの島一つを教会として所有しているらしく、神父さんは、経営のやりくりにやつれたというひねこびた感じがまったくなく、むしろなさすぎるぐらいで、グラスをひっきりなしに空にしては、大股《おおまた》をひらいて一座を睥睨《へいげい》し、おそらく酔っぱらい同士の殴りあいがはじまってもこの一座ではこの神父さんがもっとも強いに相違ないと思われるほどの男ざかりの精気を発散していた。ともかくも、今夜の主催者からいえば、この神父さんの到来はうれしいにちがいなかった。クレーンの持主と新聞社社長が顔を出しただけでなく、神父さんまできてくれたことは、錦上花《きんじようか》を添えたようなものだった。もっとも神父さんは銀行主催の夜会にも顔を出したのか、やってきたときはすでに十分酒がまわっていたようでもあった。

町長さんも、きていた。ひどく老《ふ》けた人だが、長年机の上で事務ばかりをとってきたという感じの、日向《ひなた》くささのすくないひとだった。かれは機嫌よく誰かれなしにはなしかけていたが、たれもあまりかれを重視していない様子だった。あとできくと、この島は定住者がほとんどいないために自治制が布《し》けず、従って町長というのは存在しない。町長とはよばれているが実際にはかれは本土の州庁から派遣されてきている地方事務所長のような職分で、役人の威張れない国だけに、まことに公僕らしく、つつましやかだった。かれは上機嫌だった。しきりに私に話しかけてきた。私はその話の三分の二ほどもわからず、わからぬままに聞き流していた。夜会の話に内容があってはぐあいのわるいことに相違なく、聞き流してもいいはずだった。私は、このときまではかれが公選された町長であると思っていた。私は木曜島を気に入っていたから、聞き流してばかりいるのも妙だとおもい、「木曜島は、いいところですね」といった。すると、無内容な感想のはずだが、町長にとっては、内容のありすぎる発言だったにちがいなく、急にかれの血相が変わってしまった。

「ノウ」

と激しく言い、くるりと背中をむけて他の人のところへ行ってしまった。以下は想像するしかないが、州の本庁に勤務していたにちがいないかれは停年（そんなのがあるのかどうか）近くなって、すこしはましなポストにつけるはずだという期待もあったのかもしれないが、思わぬことに木曜島にやられた。多年勤続したかれを、流しもののように木曜島にやったのは、かれに好意をもたない上役かもしれないが、ともかくも都会の生活をすて、妻子を町に置き、単身この高温多湿で娯楽といっても映画館ひとつないこんな島で暮らすはめになっているのである。かれにとって木曜島がいい所であろうはずがないが、それにしても北半球の極東の島からわざわざこの島をめざしてやってきた外国人に対し、自分の主観だけで否と叫んで背をむけるのはひどかろうと思った。

藤井夫人は、たしか可愛い名前だったと思う。名は忘れた。

その風貌は、おそらく生涯わすれられない。彼女は黄色いロングドレスを着て中国風の扇子をつかいながら、最初から最後まで壁ぎわの椅子にすわり、表情をうごかさなかった。体格は大きく、おしゃべりではなかった。およそ物おじというものをしたことがないひとがもっている自然の重量感があった。話しかけられると、体を相手のほうにまげ、耳を傾け——耳がすこし悪かったのかもしれない——やがてよく透る声で応酬した。彼女の容貌は東洋的な感じが勝っているのだが、そのずっしりした重量感というのは、中国人の大家族をたばねている老いた太々《タイタイ》を想像させた。私は、近づいて行って、あいさつした。

「トミーが、あなたを待っていました」

亭主のことをいった。私が日本人であるという理由だけで、藤井富三郎氏は私が来島するのを待ち、今夜のこの夜会をたれよりもよろこんでいる、というのである。彼女は、亭主のよろこびは自分のよろこびだ、と社交辞令ではなく、黒い瞳をきらきらさせて、食い入るように私を見上げ——椅子にすわっているために——ながら、繰りかえし言った。私は遠くから彼女を見ていたときの印象とのちがいにすこし戸惑った。それほどに、体じゅうで物を言うような、あるいは訴えるような言い方だった。

藤井さんは、いた。壁ぎわにならべられた椅子の端にすわっているのだが、ほとんどだまりこくっているために、ともすれば独りぼっちになった。私の知っている元ダイヴァーは、すべて酒をのまない。藤井さんもそうだった。食べも飲みもせずに、なみはずれて骨太な体を直角に折って腰をおろしていた。

私は、その横に腰をおろした。田辺より以南の紀州にはときに、頭蓋骨《ずがいこつ》が雄大としか言いようのない立派な顔があり、南方熊楠《みなかたくまくす》などもその典型といっていいが、藤井さんもそうだった。

こういう場では、ダイヴァーの話よりも、故郷の話のほうがふさわしいかと私は勝手に思った。この人は、熊野の西海岸の有田だときいていた。有田というのは、和歌山県に二カ所ある。一つは有田川河口の有田《ありだ》市でむかしから紀州みかんの集散地として有名だが、藤井さんの有田は紀伊半島西岸をずっと南にさがり、田辺、白浜よりもさらにさがって串本にちかい入江にある。国鉄紀勢線では、たしか串本の一つ西手前の寒駅で、線路も駅も崖の中腹にある。私は降りたことはないが、汽車の窓から何度もプラットホームの下の村の屋根瓦を見おろしたことがある。崖と崖の間にできた入江は、浜は小さいが、黒い岩磯や岩磯の点々としているのが美しく、私の通過するときの太陽の位置がそうさせるのか、いつみても入江の海は青くなく、白銀色だった。プラットホームの下はもう村なのだが、樹木がわめき声でもあげそうなほどに茂っていて、全景はとても見えない。ホームから見えるのは右の樹木と、その樹木の横のお寺の大きな屋根だけである。私は有田を知っている、といって右のようなことをいうと、藤井さんは飛びつかなかった。懐しさを露《あら》わに出すというのはしたないと思っているのかもしれなかった。

「わしのうまれた家は、そのお寺のすぐそばにある。母親も、つい二年前、九十八歳で死ぬまでそこでくらしていた」

と、静かにいった。そのあと、くびを振って、自分は日本語があやしくなっている。紀州の地ことばをつかうと何とか出てくる、聞きぐるしくはないか、ともいった。

藤井さんは、明治四十年うまれである。

十八歳で、木曜島にきた。兄がすでにきていて、ダイヴァーになっていた。兄は、その後、帰った、というふうな話が、つづいた。が、すぐとぎれた。こんな話を人に聞かせても退屈させるだけだ、という配慮がいつも働いているようだった。

「わしは、最近の日本を知っている」

話題を変えた。そういう話題のほうがいいと思ったのかもしれない。

藤井さんは、もうやめてしまったが、何年か前まで、土地で事業所をもつ日本の真珠会社など三つほどの会社の重役をしていた。真珠会社にすれば藤井さんのこのあたりの海域についての知識や人望などを事業に借用するのは有益なことかもしれなかった。昭和四十五年、その社の費用で、その社の人も付き添ってくれて、日本に帰った。東京も見、新幹線にも乗り、有田にも帰った。有田だけは変わっていなかった。

四十五年ぶりだった。生きて日本をもう一度見られようとは思わなかったが、あまりの変わりように、かえって印象が薄かった。

他のひとにいわせると、藤井さんのそのときの感想は、雑多なものを省けばただ一つに尽きる、ということだった。この感想は、私にも話してくれた。

「どれが働いている人か、よくわからなかった」

ということだった。私は藤井さんの用語がすこしわかるようになった。働いている人というのは、大工、屋根師、鳶職《とびしょく》、指物師、旋盤工、プレス工、沖仲仕といったような仕事もしくは筋肉労働をしている人のことを指し、商人や月給で働く人々はふくめない。それらの人は、藤井さんが知っている大正時代には印半纏《しるしばんてん》を羽織って紺の股引《ももひき》をはいているか、生地のしっかりした木綿の作業衣を着、そのまま仕事場へ行きかえりして、服装をみてすぐその人の職種がわかったものだが、いまはすべて働く人も背広をきている、ということらしく、よほどふしぎで、ただそのことだけで世の中が基底から一変したという印象をうけたという。

夜会が終るころ、藤井夫人がドレスの裾《すそ》をつまんでいそがしくやってきたかと思うと、「トミーのために家までやって来てほしい」といった。初対面のときの彼女はひどく重厚だったが、馴れるにつれて太々の感じよりも小娘のような感じになってきた。藤井家の建物配置は、道路に面して営業用建造物が建っている。それを通りぬけて裏口に出ると、ずいぶんむこうに母屋があり、その間、サボテンの植木鉢などが置かれている中庭がながながとつづく。庭らしくはなってない。しかし、肉の厚い葉をもった大きなサボテンが、花をつけていたりした。どんな感触の花かと思ってそっと触れてみると、香港製ででもあるのか、例の合成樹脂製のものだった。私がそれに気づいたとき、背後から懐中電灯を照らしてついてきてくれた藤井夫人が、はじけるように大笑いし、私の背中をたたいた。「騙《だま》されたか」という快笑のようでもあり、それほど当家は無趣味だという、無趣味をもってひらき直った哄笑ともうけとれたが、あるいは夫人の子供っぽい笑い声から察して、前者かもしれなかった。足もとが暗く、ところどころ立ちどまって、背後の懐中電灯を待たねばならなかった。

母屋は大きな構造だった。よほど豪胆な人が設計したらしく（おそらく藤井夫人だろうが）家屋の機能を二つにしか分類していないようで、階下は家族の居住であり、日本風の段梯子《だんばしご》をあがって階上へ案内されると、そこは、すべての面積をあげて応接用の広間になっており、これならば五十人の夜会もできるかもしれなかった。応接セットが何種類か置かれており、若い人のために風船のようなイージー・チェアもいくつか置かれていた。棚のケースには日本の京人形がおさめられているかと思えば、濠州本土の原住民のブーメランも壁面にかざられていた。全体に気持のいい乱雑さがあり、ここに招じられればつい気楽になって夜更けてでも帰りたくなくなるかもしれなかった。

一方が、テラスになっている。

テラスはどうやら藤井さんの仕事らしく、どうみても日本の物干台だった。物干台に出ると、海風が吹いてきた。目の前の暗闇《くらやみ》の気配は、まちがいなく海だった。私は自分の方向感覚では、島の内部にずいぶん入りこんだつもりでいたが、べつの海岸に達したのかもしれなかった。

「あれは、海ですか」

「うん。海。――」

と、藤井さんが寄ってきた。かれは釣鐘が一つ撞《つ》けば一つ鳴るように、一つ質問すると、一つ答えてくれた。この海についても、いくつかの質問をした。やはり海が見えないと落ちつかないか、といったふうにたずねると、生まれるときから海が見えていた、一生海を見て過ごしたから、こうして海をながめていると悲しい気持はなくなってくる、といった。

ついでながら、私はこの日の翌夜、藤井さんに招待されていた。藤井家の夜会は当然ながらこの広間が使用されるはずで、藤井さんはその夜は主人側として疲れるかもしれない。今夜はこれで失礼したい、というと、物干台から暗い海を見ていた藤井さんは、あわててふりかえり、私の体に触れないまま、私に並行して歩き、ソファにすわらせた。無言の所作ながら、言葉以上に感情の温かさが伝わったし、要するにもうすこし居れ、ということのようであった。私は、自分にとって旧知の元ダイヴァーの名をあげた。宮座鞍蔵、吉川百次、それにダイヴァーではなかったにせよ、湊千松……いずれも、藤井さんにとっては近郷の出身である。が、藤井さんは、憶《おも》い出せないようだった（このことは、帰国して吉川百次おじに藤井さんの名を聞かせたときも同様だった）。

「年代によってちがう」

契約には、三年制、六年制という二種類あったそうで、契約が満了すればいったん日本に帰って、再び渡濠できる機会を待たねばならなかった。年代がちがえば行き違って会うこともなくなってしまう。それに陸地での仕事とちがい、六人、七人の小グループで海上を漂っているために、たがいに交流しあう機会もすくない。さらには宮座鞍蔵や吉川百次は木曜島にすこしいてあとは西濠州の海で働いており、たとえ同年代でも顔見知りになることが困難のはずだった。

私は当時の話をするように藤井さんにせがんでみた。以下、かれが語ったところを、整理してみる。

最初は、船上でのめしたきだった。月給は一〇ポンドから二〇ポンドだった（四年後に渡濠する吉川百次おじの記憶では、最初船に乗ったときの最低の月給は四ポンド。両氏とも、一般に記憶が正確で、とくに数字についてはまちがいがなさそうである。この異同は、不況、好況の時代によったり働く場所、親方によっておこるものかもしれない）。

釜のことをヘルメットという。潜水服のことをデレス（dress のこと？）という。海底の深さは日本式に尋《ひろ》でいうが、ふつう現場では尋を略して六つ、七つという。浅いのは、一〇尋から一五尋。深いのは、四〇から五〇尋。こういう深い底までは、日本人でないともぐれない。三五尋ぐらいになると、潜水病になりやすい。潜水病ではすぐ死んだ。死ななくても、一生脚が動かなくなったりする。

そのころ、神戸から日本郵船の丹後丸が、香港《ホンコン》、フィリピン経由で木曜島まで定期航路を持っていた。木曜島というもののにぎわいがそのことでも想像できる。船賃は安かった。一〇ポンドだった。島は日本人ばかりなので、淋《さび》しくはなかった。昭和初年の御大典のときにこの島の日本人会でも祝って、そのときの人数が八百人だったと憶えている。私がはじめてきた大正末年ごろでも、そのくらいは十分いた。出身県別に、ハウスとよばれる長屋が、海岸べりに建っていた。しかし自分はそこに入ったことがない。

船で最下級のめしたきというのは、そういうものであった。一潮《ひとしお》（仕事のシーズン）終ってみなが上陸し、ハウスで骨を休めるときも、めしたきだけは船に残って番をした。海に浮かびっぱなしで、何年もそうだった。よくあんな辛抱ができたものだと思っている。

めしたきは、それだけやっているわけでなく、毎日、デレスの洗濯をして干す。これが大変だった（このくだりは、百次おじたちの話と重なっている）。道具片づけも日課で、それらがすべて終ると夜の十二時になった。朝は誰よりも早く起きねばならない。夜、凪《な》ぐときは、舵持ちをするのも、めしたきの仕事だった。

めしたきの気持というのは、一つしかなかった。早くダイヴァーになって、何年か働いて、早く日本へ帰りたい、ということだった。しかしいつダイヴァーになれるというめどはなかった。

自分は下積みが長かった。なかなかダイヴァーになれないために、契約をなんどか更新してもらった。自分で自分を奴隷にしているようなものだった。しかし途中で棒を折って日本に帰っても、食ってゆけるような仕事がなかった。そういう世間の貧しさやきびしさは、十九まで大阪で働いていた経験でよくわかっていた。尋常小学校は、ぜんぶは出なかった。途中で大阪に働きに行った。つらいことが多かったから、木曜島だけが辛《つら》いとは思わなかった。

三十歳になって、やっとダイヴァーになれた。

親方とダイヴァーとの関係というのは、契約です。ダイヴァーが親方から船を借りて、その船で採った貝を親方に売る、という形になっている。船の道具類は、デレスもなにもみなダイヴァーの所有物で、日本に帰るときは、それを親方に売る。

「親方は、みな白人でな、日本人の親方ちゅうのは、居なかった。最初に島にきたときは濠州人の親方にやとわれ、あとでダイヴァーになったときは、ドイツ人にやとわれた」

と、藤井さんはいったが、これも時代や場所によって事情に違いがあるとはいえるかもしれない。濠州の出稼ぎ移民に関する本や資料を読むと、日本の親方も出現してはいる。場所はちがうが、たとえば宮座鞍蔵老人の上にいたのは、日本人の親方であった。ただし、そういう例は一般にきわめてすくなかったにちがいない。

ともかくも、一九二五（大正十四）年以来、木曜島にいる藤井さんの記憶で、その期間においては日本人が親方になっている例は見なかった。

「私の親方のドイツ人は、貧乏な親方で、年末になってもダイヴァーに金が払えないことが何度もあった。しかし人のいい人だったから、わしはついぞ催促がましいことをいった覚えがない」

なぜ日本人が一般に艱難《かんなん》辛苦してダイヴァーをめざすだけで、生命の安全な親方になろうとはしなかったのか、ということについては、藤井さんは明快な理由づけを持っていなかった。私が問うと、しばらく考えていたが、やがて、

「日本人の性《しょう》やな」

といった。さらに、いまの日本人は知らんけれども、あのころの日本人はそうい

う性やったのやろな、いや、性は癒《なお》るものではないからいまの日本人もそういう性かもしれんな、といった。親方は、なるほど陸《おか》の事務所でたばこをふかしていればよかった。しかし金の算段という苦労があった。欧州の買い手とも交渉せねばならず、買い叩かれを防がねばならず、市場の相場に目をくばらねばならず、銀行との交渉もしなければならない。どれ一つとっても、面倒なことであり、藤井さんの用語でいえば「働いている」という働きではなく、要するにいくら金が儲かっても、ああいうことはわしらに出来んし、する気もなく、つまりは面白味もあるまい、ということであった。

かといって、藤井さんはダイヴァーという仕事については、批判的だった。

宮座鞍蔵老人の場合ははっきりしている。彼は潜水病のために生涯片方の脚がひきつってしまったが、しかし「神様がせめて五十歳にもどしてくれるならもう一度やる。あんなおもしろいことはなかった」と言い、また名人ともいうべき吉川百次おじも、戦後、なお招かれて単身渡濠したくらい、海底での記録をあげることがすきだった。宮座老人は、「はじめは欲だが、だんだん金銭から離れてゆく。自分の以前の記録と、他の船に対する競争《バイキャップ》だけになってしまうな。海底では、もう金銭もなにも念頭にない。何トン水揚するかということだけやったな。紀州者も伊勢者も、みな鬼になってしまう」といった。物から入って、やがて物が消えて、形而上的な衝動だけでイノチもなにも要《い》らなくなってしまう、というのである。藤井さんのいう「日本人の性やな」というのは、あるいはそういうことを指しているのかもしれない。この種の性は、親方式の頭をつかうのはにがてで、頭はむしろダイヴァー式の職仕事に集中してつかうのにむいている。宮座鞍蔵老人も、「日本人がダイヴァーにむいている」といっても、魚のようにえらや浮袋があるわけでなく、あるのは、「海の底で職をやっていると、欲も得もなくなってしまう」という習性のようであった。

「三十半ばになると、考えるようになった」

藤井さんはいう。深い海に入ると、貝が多い。しかし潜水病になる。結局、浅い海ばかりでやるようになった。貝をたくさん揚げて仲間を驚かしてやりたいという自分の気持を懸命に突きはなして、なるべく「ダイヴァーも身すぎ世すぎだから」と自身に言いきかせるようになった、という。そういう藤井さんでさえ、「商売」だけの親方の仕事には魅力はなく、「つまり面白味もあるまい」というのである。藤井さんの性というのは、むろん、藤井さんをもくるんだ言葉にちがいない。「魏志倭人伝」の水に沈没して魚介を獲るという倭人の本性は、まことに獲ることに熱中する。中世末期に、西日本の沿岸の連中は小船に八幡大菩薩《だいぼさつ》の旗をたてて倭寇《わこう》として東シナ海へ押し出し、明《みん》王朝を衰弱させるほどの猛威をふるったが、しかしその倭寇にさえ、貿易をするためには、商略をもった親方が必要だった。親方が、商品市場の状況をよく知っていて、どういう商品を倭寇に積ませてどの港に持ちこむかを指図した。倭寇時代の中期以後の親方は、ほとんどが明人で、倭の大親方はいなかったといってもいい。商は親方であり、職は倭寇だった。物事を考えるのは親方にまかせ、倭はもっぱら航海や戦闘という職仕事に専念した。この点、濠州の海にもぐっていたダイヴァーたちにもその後裔《こうえい》であるような気配もある。

翌夕は、藤井家の夜会だった。

狩野氏が、誰かから小型トラックを借りて迎えにきてくれた。私は荷台に乗った。荷台の側板がないために、ふりおとされそうだった。まだ時間に余裕があったために、海岸道路を走ってくれた。

水道に、他の船にまじって、二隻の小型鋼鉄船が、坐礁しているわけでもないのに大きく傾いて、船体が銹《さび》でおおわれている。船というより鉄の函が海に廃棄されている格好だったが、廃船とまではゆかず、もとはこのあたりで操業しまわっていた台湾籍の漁船だった。半歳も前に領海侵犯で濠州海軍の警備艇につかまり、そのまま犯罪船としてこの水道に留置されている。捕えたほうの濠州海軍も、この二隻の漁船がいるために、たえず警備艇を交替させてこの小さな木曜島に置いておかねばならず、これも国家行為としてやむをえないことながら、無駄といえば無駄のようにも見える景色だった。

損傷のひどいほうの船は、どうやら濠州政府と台湾とのあいだの係争があらかた片づいているらしい。

いま一隻は、なま殺しの状態らしい。島のうわさでは、この漁船の台湾における持主が「船長以下に責任がある」として濠州政府の賠償要求に応ぜず、そのために船もろとも差しおさえられており、台湾人の船長、機関長、漁撈長も、人質同然になってその船に乗せられたままだった。私は、この船の船長、機関長、漁撈長をよく知っていた。妙な縁といえば、いえるかどうか。

前夜、藤井さんの応接室で会った。かれらは船長とか何とか長とかというにはふさわしくないほどに年若く、よく洗い張りのきいた開襟シャツをきていて、いかにも清潔そうだった。私は、戦後、台湾国籍の中国人というものに会ったことがなかったから、利口そうでずるさの全く感じられないかれらの顔を見ているだけでうれしかった。いつ帰れるのか、ときくと、三人ともいっせいに苦笑して、「わからない」といった。親方が賠償金を払ってくれれば帰れるのだが、見通しはまったくない、という。親方もあるいは小資本のために払うに払えず、三人の働く人を他国の捕虜にしたまま、蒲団でもかぶって息を殺しているのかもしれなかった。三人は、高雄あたりの水産高校を出た青年で、あまり年若くみえたために、君らは独身か、ときくと、意外にもみな妻子があった。この点、かつてこの島にいた日本人ダイヴァーとちがっていた。

かれらが藤井家の食客のようになっていることについて、あとで狩野氏から事情をきいた。島の濠州人たちが誰も彼らを相手にしないのを藤井さんがながめていて憐《あわ》れみ、かれらに対して藤井家を開放しているのだという。理由は、やはり藤井さんは、この人のいう「働いている人」に対して理屈なしに身につまされてしまっているというところにあるのか、それとも、藤井さん自身、太平洋戦争のときに濠州政府につれてゆかれ、国家からひどい目に遭わされたということにつながりがあるのか。

藤井さんは、太平洋戦争が勃発《ぼっぱつ》したときは、海底にいた。海の底からあがってきて濡れたデレスを脱いでいると、「キャプテン」と声をかけた同船六人の仲間――

いずれも原住民——の表情が、緊張していた。日本が戦争を始めた、濠州もそれに応じた、キャプテンは陸《おか》にもどれば逮捕される、このまま海に居よう、といってくれた。藤井さんは、このときのかれらの親切な気持をいまでも忘れることができないでいる。が、海に居るといっても、生涯七人で海に漂っているわけにもゆかず、結局、藤井さんは木曜島に帰り、他の日本人とともに逮捕された。濠州政府は、いま三人の台湾の青年がつかまっているように、軍艦を派遣してきて、日本人三百人を虜囚にし、小さな汽船の船底に押しこめた。暑いころで、船底に風が来ず、たちまち病人が続出した。濠州政府は木曜島の日本人を人間として見る余裕がなかったのか、豚よりもひどいあつかいだった。藤井さんは幸い通気孔の下にいたために、鉄銹などが落ちて来はするものの、なんとか死ぬ苦しみからまぬがれた。船底の入口には、銃剣つきの水兵が立っていて、船底外に出ると射殺する、とかれらはいった。たちまちみなあかまみれになり、家畜小屋よりもひどいにおいが充満した。濠州兵もこの臭気に閉口したのか、一週間に一度だけ、日本人たちを甲板に出した。

それも、男女いずれも全裸で出ることが命令された。銃剣を持った兵が、豚を追いたてるように上へあげ、甲板に群がらせると、船員が海水ホースを動かして、裸の群れに水をぶちあてて行った。ホースの水が激しくぶちあたると、男も女もジャガイモのようにころがった。船員たちはおもしろがって、ホースの先端を奪いあったりした。女がころんで甲板のはしに頭を打ちつけ、血を出した。牛馬以下のあつかいだった。藤井さんは、そんな目に遭わされるなら死んだほうがましだと思い、通気孔の下にうずくまっていて、ついに一度も甲板へは出なかった。この人は一見表情が鈍く、私など藤井さんの自尊心の場所をさぐりあてるのに困難な感じがあったが、この話をきき、かれが甲板へゆくことをこばみつづけたことで、かれの何事かを察することができた。明治六、七年からはじまった木曜島における日本のダイヴァーの歴史は、こういう情景を最後に終幕した。

シドニー港について、婦人が一人、上陸用のランチに身を移したとき、そのまま息が絶えた。収容所は、五〇〇マイルも内陸に入った、原住民も住めない沙漠に設けられた。バラックの中で毛布をかぶって寝ていると、砂嵐の吹く夜はバラックを砂がうずめ、窓のすきまから砂塵《さじん》が入り、朝起きると、毛布の上にも床にも砂がうずたかくつもって、そのあとスコップで掻き出さねばならなかった。その収容所では大工仕事ができる者がいなかった。自分にはそんな経験はなかったが、志願した。自分なりに、おそらくこうだろうと思いながら板を削ったり柱を立てたりしているうちに、身についた。いま病院へ大工仕事をしに行っているのは、収容所でおぼえた技術である。……

私は藤井さんからそういうふうにきいていたから、台湾の三人の青年をいたわっているのかと勝手に想像していた。

狩野氏の運転する小型トラックが、水道に面した海岸道路を一巡すると、方向を転じて坂をいくつか上下し、「レインボウ」の店の前でとまった。

私どもは、非常な歓待をうけた。

ホステス役の藤井夫人はいよいよ少女めかしくなり、ソファの点在する間隙《かんげき》を大きな体ですりぬけてきては、

「愉《たの》しんでいるか」

と、念を押し、愉しんでいる、と答えると、うれしそうな笑い声を残して去った。

彼女はこの夜会がつづいているあいだじゅう、何度もその動作をくりかえした。

招待された顔ぶれは、前夜の夜会とはちがっていた。牟妻口氏と狩野氏は当然ながら招かれていた。しかし他の島の有力者の顔は見えず、ほとんどが日本人だった。一人だけ白人がいた。小柄な六十年配の男で、栗色の髪をきれいになでつけ、防暑服に白いソックスという礼儀正しい服装をして、柱のそばの椅子に腰をおろしてい

た。ときどき立って、ウィスキーを補給した。酒が好きそうだった。話しかけると、わずかに微笑したが、何も答えなかった。病身のようにも思われた。

かれは誰ですか、と狩野氏にきくと、アルコール中毒患者です、といった。ほとんど一生、仕事もあまりせずに、酒ばかりのんできた。もっとも食べるための最低の労働はしてきたが、この島でかつて稼動していた小さな造船所で雑役工をするうち、作業場で転倒して頭を打ち、いろんな症状があとに残った。妻子もないままに、いまこの藤井家の一隅に小屋を建ててもらって住んでいるという。狩野氏によると、かれの母親は濠州人だが、父親は串本出身のダイヴァーで、かれはこの島でうまれた。しかし藤井さんはかれを、自分の故郷にちかい串本の人間として遇し、可愛がっているという。そういえばこの島でかつて活躍した熊野人、とくに串本付近の出身者は、いまでは藤井さんと、このイギリス風の紳士だけになってしまった。

「今夜も、島のどこかでほかにパーティがありますか」

「あります」

と、牟婁口氏が答えてくれた。

私は、すしを皿に盛って、この広間のすみの長椅子にならんで腰をおろしている三人の台湾青年に持って行った。かれらは行儀がよすぎた。三人ともひざの上に拳《こぶし》を置き、グラスを持ち、前をむいたままおだやかにすわっていた。私は藤井夫人のようにして彼らに、面白いか、といわざるをえないほど、かれらの様子は節度がありすぎた。もっとも、かれらにすればこの島の居住者でもなく、ふつうの旅行者でもないために、立場上、人前で燥《はしや》ぐのは自制しなければならないのかもしれなかった。

九時前になった。かれらは「船へ帰る時間ですから」とまわりの人に丁寧なあいさつをし、帰って行った。私は他の場所にいたために、気づかなかった。

大きな老婦人が入ってきた。

紺の地に稲妻模様を白く抜いたロングドレスを着て、他の夜会の帰りなのか、入ってきたときはすでに酔いもなにもできあがっていた。

彼女は島の病院の看護婦長で、そこに働きに行っている藤井さんにすれば、鄭重《ていちよう》にあつかったほうがいい存在だった。もっとも、当の藤井さんは物干台に椅子を置いて立ちあがらず、かわりに他の人が、彼女に酒は何がいいかとききに行ったり、所望の酒を入れたグラスを持って行ったりした。彼女は島ではもっとも重い要人として扱われている人で、神父さんに次ぐ存在だった。彼女の機嫌を損じたままでもし病院に入らねばならなくなった場合、その人は決して幸福な病人にはなりえないかもしれなかった。

一時間ほど経つと、彼女は夕刻から飲んできた酒の量がよほど重くなったのか、床の上にべったりと尻を据え、ちょうど日本の花見酒のようにして飲みはじめた。骨格がたくましく、顔が大きく、じつに威厳のある容貌を持っていた。そのとき、誰かが私を彼女のそばに連れていって、紹介した。彼女は、目を据えた。下唇が濡れて、大きく垂れたまま、上唇まで持ちあげるのも大儀だというふうだった。「知っている」と、彼女は、ゆっくりと手を横に振った。「今日の昼、カノのトラックに乗ってどこかへゆくのを見た」と、いった。島では、つねに誰かが互いにどこかで見ている仕組みになっていた。

この屋敷には、裏の海岸道路からそのままじかに二階の広間に昇ることができる露天の階段があるにちがいなく、例の神父さんが、突如入ってきた。かれも、看護婦長と同様、相当量の酒精が体中をまわっているようだった。かれはきょうは、海軍の少尉候補生のようにきまじめで可愛い神父を帯同していた。この海域を教会の領域にしているかれらは、軽飛行機で島々を飛んでは、伝道していた。若い神父は、あるいはどこかの島からここへ飛んできたのかもしれなかった。

かれは、壮年の神父につれられて夜会から夜会へまわっていることが迷惑らしく、酒をすすめられても、丁寧に、しかし毅然《きぜん》とした態度でことわった。やがてかれは、中座すると宣言し、そのとき、軍人のようにかかとをそろえて直立し、みじかいあいさつを述べた。終って、十字を切ったのには、信仰をもたない私に、小さな驚きを覚えさせた。その若い神父があいさつをしている間じゅう、藤井夫人はやや遠くから敬虔《けいけん》な様子で若い神父に対《むか》いあう姿勢をとっていたが、やがて彼女も十字を切った。

「婦長さんを、気をつけておくように」

と、牟妻口さんが自分の下の若い人に、ささやいていた。彼女が、倒れでもして頭を打ったりすると、あくる日は島じゅうの噂になって、参会者の不注意が非難されるおそれがあった。彼女はよく事故をおこすらしく、先日も他の夜会で床の上に坐ってしまい、つい失禁したりした。

もっとも酒に強い神父さんが出席している場合は大丈夫で、帰りは神父さんの車に積まれて病院に送りこまれるというのが、習慣のようになっているらしかった。

この間、藤井さんは、物干台の椅子にすわって、脚を他の脚にのせ、長いすねを所在なげにぶらさげていた。笑いも喋りもしなかったが、楽しんでいないというふうもなかった。

木曜島での噂では、藤井さんはつねに郷愁の人であるようだった。藤井夫人が若いころから懸命になって店をやってきたのも、ともすれば日本に帰りたがる藤井さんをひきとめるためだったとも言われていた。濠州では、有色人種が国籍をとることは不可能に近かったが、それも藤井夫人の奔走で、ずいぶん前にとることができた。それでも藤井さんの淋しさは老いるとともに募ってくるらしく、夫人にはそれが苦のたねで、混血の老いた日本人をひきとって面倒を見ているのもむしろ夫人のほうだといってよく、抑留されている台湾の三青年の面倒をみているのも、積極的には夫人のほうであるという見方もあった。

私は、若い神父が帰ったころに、台湾の三青年が見えなくなっていることに気づいた。物干台の藤井さんのほうに行って、台湾の青年について、二、三問いかけてみた。藤井さんの答えは、いつものように一項目ずつ短いものであったが、言葉のひびきに愛情が滲《し》みこんでいた。私はべつに、なぜそのように彼らに格別親切なのかとは露骨にきかなかったが、似たような話題になったとき、藤井さんはごくさりげなく、かれらも元は日本人だったから、といった。台湾は、本来、清国領で、清国人の雑居地であった。その後の変転で日本領になったこともある。しかしそのときでもなお、かれらにすれば本来の漢民族であることにかわりがなかったが、しかし明治四十年のうまれの藤井さんにすればそのことをそういう風に理解するよりも、元の日本国籍人として理解するほうが感情のなかでなだらかであるに相違なく、この藤井さんの次元においては余計な抗弁などは無用のことだった。

藤井さんは、物干台からときどき海を見た。日常、この場所から、その姿勢をとることを彼は好んでいる、と藤井夫人も語っていた。老来、とくにそのようだった。宴がおわるころには暗い海風の吹いてくる方向を、ほとんど見っぱなしになった。宴がおわってしまうことのさびしさに、あるいはそういうふうにして堪《た》えているのかもしれなかった。

時間を過ごしすぎたと思い、牟婁口氏に相談した。牟婁口氏は、藤井さんがもうすこし居てくれといっている、しかしあの人はまたあす早くから病院へ大工仕事にゆかねばならないからそろそろ暇乞《いとまご》いしたほうがいいかもしれないといった。

その様子を、藤井夫人はめざとく見つけたらしい。

私が手洗に立つために広間を突っ切って、物干台とは逆の方向にゆくと、彼女は手洗の場所を教えるために足早についてきた。やがて、私にその場所を教えた。

私は手洗をつかってからその短い廊下を出ようとすると、恐縮なことに彼女は待っていてくれて、タオルをさし出してくれた。

すぐ抱きつくように、弁じ出した。泣き声だし、早口の英語でもあったので、とても私の耳には理解しがたかったが、しかし彼女の全体の様子で彼女がなにを掻きくどいているかがよくわかった。

「富三郎の姿をみると、自分はいつもたまらなくなる」

というふうなことを、繰りかえし彼女はいった。彼は、老いた、と彼女はいった。私とは十一歳も齢がちがっているし、それにかれは無口なので何を考えているのかよくわからない、ときどきかれが目の前にいながら遠い所にいるように思えてならない、私にはよくわからないが、ほぼそういう意味のことを言っているようだった。

彼女は話すというよりも、感情を噴出させていた。喋りつつ、涙というものがこれほど多量に出るものかと思えるほどにはげしく顔を濡らした。私はせっかく貸してもらったタオルを、彼女に使ってもらうために押しつけた。彼女はそれを無意識にうけとったが、使わずに胸高の場所に両掌で押し当てたまま、さらに喋った。富三郎は日本人がすきでたまらないのだ、日本人とみればこのように招待してそのくせ自分はバルコニーにすわってぼんやりしている、しかし私には富三郎の気持がわかる。……

私は彼女になにを言っていいかわからず、「自分は英語ができないから」といって、人をよぼうとした。が、藤井夫人はそんなことに斟酌《しんしゃく》もせず喋りつづけた。

彼女が最後にいった言葉は、ほとんど詩句のような響きで、私の胸に残った。

“Japanese is a Japanese.”

有隣は悪形にて

のち松陰の号で知られた吉田寅次郎という青年が、長州藩の獄舎に投じられたのは安政元（一八五四）年秋の終りで、この朝、萩城下のあちこちの小路に初霜がふってひどく寒かった。

「獄舎というのは地獄だから」

と、二つ年上の兄の杉梅太郎（民治）が、毎日萩の役所に通っては、獄吏へのわたりをつけたり、藩の重役に保護をたのんだり、あるいは必要品の差し入れをしたりして、こまごまと気をくばってくれた。四人の兄の梅太郎というのは類のないほど気のやさしい青年であった。かれは寅次郎という二つ年下の弟を神仏の申し子であるかのように尊敬していたから、弟の入獄にあたってできるだけのことをしてやろうとおもっていた。そのうえ長州藩は秀才信仰の気分のつよい藩で、藩じたいのほうも、十一歳で藩主に家学を講義して満城をおどろかせたという寅次郎に対して格別の同情もあり、並みの囚人に対するような過酷さはなかった。さらには、寅次郎の罪が、藩への罪ではなかった。鎖国の国禁をおかして渡海をくわだて、下田からアメリカ軍艦に接近しようとしたというもので、幕府に対する政治犯にすぎず、このため藩としては幕府への遠慮から萩城下の獄に入れたものの、この青年を内々で保護しようという気持はあった。ついでながら、この安政元年での長州藩はただの平和な大名にすぎず、後年、日本を戦慄《せんりつ》させ震撼《しんかん》させ騒乱におとし入れたあの一大革命藩ではまったくない。

獄舎は、湿気がこわい。床のすきまから這《は》いのぼる湿気が多くの囚人を牢死にいたらしめた。入牢《じゅろう》即ち牢死であるというのがこの時代の常識であった。そのことを梅太郎は考え、湿気ふせぎの油紙の敷物をさし入れることまで配慮した。

そのつぎに梅太郎が重大とおもったのは、同囚の者にいじめられるということであった。いじめられ圧迫され、それがために心気が萎《な》えて牢死にいたることが多い。

「ちょうど同囚はいい人ばかりだ」

とまで、梅太郎はつてをもとめて調べ、寅次郎の耳に入れておいた。ただひとり例外がいた。梅太郎はこの男のことを問いあわせたとき、聞けば聞くほどおそろしくなり、寅次郎にはくわしく言うことさえ不吉のような気がして、

「ただ富永弥兵衛（有隣《ゆうりん》）というお人ばかりは、気をつけたがよい」

と言い、富永についての知識をわずかに寅次郎に入れておいただけである。

寅次郎はむしろ、

（そのひとは、むしろ偉い人ではあるまいか）

と、おもった。この青年にはそういう所があって、性善説の極端な信奉者であるだけでなく、人間を疑ってかかるという精神の機能が、うまれつきわずかしか存在しないか、もしくはうまく作動せず、従ってつねに物事に楽天的で、つねに物おじということをしなかった。ひとつは寅次郎の実家の杉家が、無類に陽気で気のやさしい人達で構成されていたせいかもしれず、寅次郎はこの齢《とし》（かぞえて二十五歳）になるまで身辺の者から意地悪をされた経験がなかった。

富永有隣は、三十四歳である。

（わずかな学問を鼻にかけた青儒生《あおじゅせい》が入ってくるらしい）

ということは、きいている。

儒生ときくだけでも不愉快であり、この牢内でもしままになることならいびり殺してやりたい、とおもっていた。本気であった。

富永有隣は顔の青ぶくれたあばた面《づら》の男で、みるからに兇相《きょうそう》であった。左目が指で押しこまれたようにしてつぶれており、眉間《みけん》が削《そ》ぎあげたようにけわしく、ただ口がなまずのように大きいという一点の滑稽《こっけい》な感じだけがかれの印象をわずかに救っていた。

これだけ酷薄兇暴な感じの男でありながら、かれがやった犯罪というのは殺人でも強盗でもなく、智能はすぐれていたが詐欺でもなく、女色を好みながら強姦でもなかった。ただいやなやつというだけで牢に入れられているのである。

「野山獄」

と、萩城下では通称されている。むかし野山姓をもった藩士の屋敷地に牢がたてられているために、そうよばれていた。士分階級の牢である。

この江戸時代というのは、世界史的にみても犯罪がきわめてすくなかった社会のようにおもわれるが、とくに諸藩における士分階級では自律的に自分を規制する習慣がつよかったため、殺人、強盗などを犯す者はめったになかった。むろん士分にして殺人を犯す者や窃盗、強盗（こういう犯罪は絶無でないにしてもきわめてまれだったろう）を働いた者は容赦なく死罪、軽くて切腹で、牢の必要もなかった。

それでもなお、

「野山獄」

がある。入牢者はみな永牢《ながろう》という無期受刑者である。

かれらは後世の資本主義社会の感覚からいえば、罪にもならぬほどの微罪者ばかりであった。もっともふつうの微罪者なら親類あずけになる。それにはならず、藩の牢に入れられているというのは、つまりは封建社会における兇悪人であった。性格がよほどねじまがっていて、前非を悔いるしおらしさがなく、おなじ犯行を何度も繰りかえす虞《おそ》れのある連中であった。犯罪者的性格をもっているという点でいえば、かれらの多くは後世の社会にうまれた場合、微罪どころか重罪を犯す体質であるかもしれず、逆にかれらが封建社会では反道徳的だったというだけで平凡な市民であるかもしれない。

たとえば、富永有隣とおなじこの「野山」の獄舎に、高須久《ひさ》というただひとりの女囚がいた。齢は三十七である。高須某という藩士の未亡人で、評判の美人だったために言い寄る者が多く、「素行定まらず」ということで、親類一同が藩に訴え出て入牢させられていた。彼女はなみなみならぬ詞藻《しそう》の才があり、やがて同囚となった寅次郎をほのかに慕い、ついに婦人を知らずに終る寅次郎の生涯で唯一のいろどりになるが、いずれにせよこの在獄二年という高須久がもし後世にうまれていれば罪にもなにもならなかったであろう。彼女の食費その他は、親類一同が分担していた。どの囚人もそうであった。この士分の獄舎の場合、親類の費用分担がたてまえであった。いわば親類一同の願い出により、これらは社会隔離されていたといっていい。

富永有隣も、そうである。

この男の家は代々御膳部役という、藩主の食事の世話をする小役人だった。家禄はわずか二十七石にすぎないが、士分のはしくれであることはまちがいない。有隣は幼少のころから学才すぐれ、学問の進歩がめざましかったため、年少のころは一時期藩主の小姓役にとりたてられ、心掛け次第ではどのようにも出世できるという、富永家としては異例の立身の階段を踏んだこともあった。

「うぬは、馬鹿か」

というのが、その頃の有隣の朋輩《ほうばい》に対する口ぐせであった。こういう悪口雑言には、他藩の場合ならりっぱに刃傷沙汰《にんじょうざた》として発展するが、長州藩の士風は温雅とい

うか、

——富永には相手になるな。

と朋輩がたがいに目くばせしあい、知らぬ顔をするという利口さをもっていた。これが富永を増長させた。

富永は自己愛がつよく、それが体中に黒煙を巻いているように猛々《たけだけ》しく、つねにおのれの頬桁《ほげた》をたたいておのれを讃美しておらねば気が済まず、自己への讃美の激烈さが、激烈のあまり他人への悪罵《あくば》にもなった。さらに酒を好み、酔えば目がすわってときに狂人のようにあばれた。エネルギーが体に充満しきっているという体質らしく、出どころは不幸なことに女色になった。女色といっても、容貌《ようぼう》もまずく、また玄人《くろうと》を買うほどの金もなく、このため猛獣のように薄暮の城下を走って他家の生垣《いけがき》のそばで下女を襲ったりした。

下女はたいてい泣寝入りした。富永の狡猾《こうかつ》なところであった。上女中などを襲うと実家がしかるべき富農の娘だったりして大騒ぎになるが、武家屋敷の下女というのは多くは領内の小作人の娘で、主家での地位もひくく、主人夫妻に訴え出るというようなことはまずなかった。他家の生垣の中に入り、邸内の畑で下女を殴りつけて犯したこともあった。

「せめてこういう場所でなく、人目のつかぬ山へなど連れて行ってくれ」と泣いて頼む者もあった。顔を見てしまう者があると、「たれにもいうな。言うと殺すぞ」とおどした。富永のその顔が薄暮のなかで歯をむくと、どれほど気丈な下女でもふるえあがった。

「というのは、うわさだけかもしれない。——たとえそうであっても」

と、羽仁彦兵衛がいう。

「富永ならやりそうなことだ」

羽仁彦兵衛は富永の親類のひとりで、富永の罪に対し、当時の法によって連帯責任をもたねばならない立場にある老人である。羽仁は異常に怒りっぽく、ひとを容易に許さず、人を憎みはじめると沼地で井戸を掘るように際限もなくひとの欠陥や非行を掻《か》きあげてくるという執拗《しつよう》さではどこか富永に似ていた。双方に共通の遺伝体質があるのかもしれなかった。

富永は羽仁のいうような色情狂ではなかったであろう。ついでながら富永はやもめではなかった。妻がいた。ただ彼女は亭主の酒の調達のために乞食同然の姿になり、それを恥じてか、床下の病犬のように暗い屋内にとじこもったきりであった。富永が、その妻を外へ出させないというわさもあり、げんに妻のほうの法事があってても妻には行かせなかった。そのあたりに富永のなにか性的な尋常でなさを感じようとすれば感じられるが、単に妻が外出着をもっていないということであるかもしれない。ただたしかなことは、富永はなにかといえば妻を打擲《ちようちやく》し、富永が入牢するころには悪い病いでももっていたらしく、臥《ふ》せたきりでいた。子はなかった。

羽仁はこの惨状をみて、

「狂暴奸狡治《じ》すべからず」

と親類一同を説きまわり、やがて藩にねがい出、調べを乞うた。藩の目付の下役が富永を訪ねてきたとき、富永はその役人にむかい、

「おれの志が、汝《うぬ》ら無学者にわかるか」

とあやうく殴りかかったということもあって、藩では羽仁らの願いをとりあげ、富永を野山獄にほうりこみ、社会から永久に隔離した。

「羽仁彦兵衛……其《そ》ノ（富永の）必ズ囚死センコトヲ欲ス」という文章が、松陰（寅次郎）の遺文にある。囚死とは、期待である。社会全体が、入牢者に自然死を期待している。野山獄の機能とはそういうものであった。寅次郎が入牢したときには、入牢者はかれをのぞいて十一人いた。そのなかに、

「七十四歳、在獄四十七年、大深虎之允」

という半生を牢で暮らして老いたという老人もいたし、十七年、十四年、七年、六年などという連中もいた。牢屋は長屋のような一つ棟であった。中央に廊下があり、部屋は一列六室ずつで、両列が廊下をはさんで向かいあい、ときに向かいの男の顔も見え、むろんどの房とも声をかけあって話すこともできた。ただ死角のような房もあって、寅次郎の房から向かいの左隅の房が格子《こうし》だけ見えて房内の人の顔が見えにくかった。入牢早々、その房から、

「寅次郎。――」

と甲高《かんだか》く、そしてひき裂くような声で名をよぶ者がいた。寅次郎が謙恭な態度で返事をすると、声は沈黙する。かさねて、御用でございましょうか、といってもだまっている。やがて忘れたころに、

「寅次郎っ」

と、甲高くよぶ。寅次郎がふたたび返事をし、いんぎんに用を問うたが、声はそのまま沈黙で酬《むく》いた。最初の日、これが十度ばかりあって、寅次郎はさすがに表情が茫《ぼう》となった。この若者はどういう環境にあっても自分の居る場所を自分の思うなりの明色にきらきらと変えてしまうというふしぎな神経と才能をもっていたが、この名前呼ばれの責めには参ったようであった。

寅次郎は、隣房の男とはすぐ親しくなった。隣房の男は、「五十歳、在獄四年、志道《しじ》又三郎」という人物で、この人物については寅次郎は兄の梅太郎あてに「この人、瀬能氏（兄の知人）の従兄弟《いとこ》のよしです。その人となりは廉潔《れんけつ》のようであり、いかなるゆえにて入牢したるや、ただ一箇の狭小人《きょうしょうじん》のみにて悪人ではなさそうです」と書き送った。その志道にきくと、

「あれか、あれは富永だ、あれがあの男の啼《な》き声だ、鳥獣の声と思って聞き流していればよい」

と、志道はにべもなく答えた。同囚のひとびとは他人がすべて気に入らないという性癖の連中が多く、志道もそのようだった。

鳥獣の啼き声と思えと志道はいったが、なるほどそうかもしれなかった。富永は眼光は蛇のように冷たく、さらにはおのれと他人とのあいだにも氷のような城壁を構えている男だが、人を恋しがる心情はあるらしく、しかしその表現方法をもたなかった。つい、鳥獣のように啼く。ことに新入りは里の匂いがして懐しいものであった。富永にすれば寅次郎に、汝は喋《しゃべ》れ、そこでなにか囀《さえず》れと要求しているつもりであった。同時に、富永は、司獄の福川犀之助から寅次郎が長州藩きっての秀才で

あることをきかされていた。学識は藩儒山県《やまがた》太華先生をしのぐかもしれない、ともきいた。さらに篤実な人間であるともきいた。篤実はどうでもよかったが、才学という一点で怫然《ふつぜん》とした。家中《かちゅう》第一等の才学という言葉は、富永にすれば自分のためにのみ存在しており、他人がそう称せられることは許せなかった。もし寅次郎が自分でそう称しているとすれば富永を無視した僭称《せんしょう》であり、衣褌《いこん》をひきむしってさらしものにしてやりたいような嗜虐《しぎゃく》の思いもあった。同時に富永の複雑さは寅次郎を抱きよせてその匂いを嗅《か》いでみたい懐しさもあることだった。なんといっても経学や詩文の話ができる男が、やっと入牢してきたのである。が、富永は懐しいというような言葉は、咽喉笛《のどぶえ》をどうひろげても出て来るような男ではなく、ただ「寅次郎」と錐《きり》で突くような声を出し、突くことによって当の寅次郎がどう啼くか、痛まぬなら痛むまで剔《えぐ》りこんでどういう音《ね》をあげるか聞いてみたいと思ったのである。

そういう寅次郎に対し、富永というようなしたたか者が飼い猫のようにおとなしくなって、すくなくとも悪意をわずかしか見せなくなるのに、一カ月とかからなかった。

「富永有隣は、吉田松陰の門人になった」

と、かつて長州の郷土伝説でいわれたことがあったが、それは違っている。寅次郎はひとを弟子にするような、そういう不遜《ふそん》な若者ではなかった。かれはのちに松《しょう》下村塾《かそんじゅく》をひらいたときも、「塾生というのは自分の門人ではない。自分と共に学ぶ同学の士である」という態度を本心からとっていた人物で、人間が当然持っていい私心や私情というものをかれは気の毒なほど、もしくは不具といえるほどに持っていなかった。そういう寅次郎が、富永を弟子にできるはずがなかった。まして相手は、自分の少年のころと同様、十三歳で藩主の前で「大学」を講じたという長州きっての秀才だった男で、しかもそれが大自慢の男だった。じつは逆に、寅次郎のほうが富永の門人になる姿勢をとったのである。

それも、策略ではなかった。寅次郎自身、「自分は人をだますことができない。だから英雄になれる人間ではない」と自分の無邪気さについてはかなしいほどに知っていた。

かれは入牢早々、一同にむかって、

「このように毎日すわっていては退屈じゃありませんか」

と、いった。寅次郎の声が無神経なほど明るかったのは、かれの性分だった。この底抜けの楽天家はなによりも陰気さをきらい、どこにいてもその場所を自分の好みにあう明るさにしようとした。

「おたがいに師匠になり弟子になり合うということを致しましょう。皆さんそれぞれ長技がおありになります。私蔵なさるのは惜しゅうございますから、ぜひそれを教えていただきましょう」

といって、たまたま吉村善作（四十七歳）という男が俳句に長じていることを知ると、

「じつは私は永年俳句を習いたかったのです。こんなうれしいことはありません」

といって、吉村を宗匠として奉《たてまつ》ってしまった。寅次郎は本気で俳句に熱中した。変化は寅次郎より吉村のほうにおこった。吉村は生まれてこのかた人に嫌われるのみで奉られた経験がなかったため、一大感激を発し、その後、顔つきまで師匠らしくなり、同囚のなかでこの男ばかりは人《にん》がすっかり変わってしまった。他のひとびとも吉村の俳句の弟子になった。女囚の高須久が、やがてたれよりも格調の高い句を詠《よ》むようになり、たとえばのち寅次郎が出獄するとき、

「鴫《しぎ》立ってあと淋《さび》しさの夜明けかな」

と、多少恋情をこめたかのごとき句を贈ったのは、このときの句の稽古のたまものでもあった。

（おかしな奴が入ってきた）

と、富永は胡乱《うろん》くさくおもい、はじめは句会にも入らなかった。

「俳句などは町人の芸で、士大夫《したいふ》のなすべきことではない」

とも冷笑したりした。

しかし寅次郎はあくまで無邪気で、こんどは書のことを言いだした。寅次郎は独創的才能のもちぬしに往々ある悪筆家で、これがかれの欠点になっていた。かれはこの機会に書を学ぼうとおもい、「どなたか書を教えてくださるお人はないでしょうか」というと、富永有隣は不覚にも、

「書ならおれだ」

と、うわずった声をあげてしまったのである。このころには寅次郎の明るさのなかにひきこまれてしまっていた。寅次郎は大よろこびで富永の弟子になった。一同はさすがに富永をいやがっていたが、やがて寅次郎が習いはじめるとあまりにも楽しげだったので、ついことごとく富永の弟子になった。

「どうせ教え甲斐《がい》のあるやつはいまい」

と、ふてくされていたが、しかし実際の挙措動作をみると、人の師匠になったことが滑稽なほどにうれしそうだった。

富永はまず手本を回覧し、差入れの半紙（杉家からのものである）をくばり、みながが書くと大声で半日講評した。

ただ寅次郎の文字にかぎっては酷評した。

「大癖あり」

と、いった。寅次郎はそのとおりだ、と思っていたから、言われてもいそいそするほどによろこんでいた。妙な若者だった。

「書に大癖があるというのは人間ができておらぬ証拠《しようこ》だ」

とも富永はいった。富永の書は、癖がなかった。法帖《ほうじよう》をそっくり模写することができた。

寅次郎はときに質問し、格子から洩《も》れてくる富永の甲高い書論に対し、自分の格子に身を寄せ、耳をつけるようにして傾聴した。

「楷書の手本はたれがいいでしょうか」ともきいた。

「欧陽詢《おうようじゆん》だ」

と、富永がいった。寅次郎はそう言われると、すぐ兄の梅太郎にたのんで欧陽詢の法帖を差し入れてもらい、毎日三十字ずつ稽古した。富永は調子に乗り、「行書は董其昌《とうきしよう》と文徴明にかぎるぞ」というと、寅次郎はそれもとりよせた。

「趙子昂《ちょうすごう》の行書赤壁賦《せきへきふ》もすてがたい」

と富永がいうと、寅次郎は幼児のような従順さでそれもとりよせた。同囚の者も寅次郎にならって富永を立てるようになった。俳句の吉村は謙虚になったが、富永はいっそうに尊大になった。しかしときに笑い声をあげたりして明るくなったことが、以前とはまるでちがっていた。

寅次郎は寅次郎で、雑談のときにしきりに「孟子」の話をした。「孟子」はかれの思想にもっとも大きな影響をあたえた書のひとつだった。かれがついに、

「私は孟子が好きでありますので」

と講義をはじめたころには、富永をのぞいてはみな熱心な聴講者になっていた。

孟子の著である「孟子」は、明治後はなんでもない漢籍のひとつになったが、江戸時代における待遇は特殊で、多分に危険思想書として扱われ、どの初等塾でも「孟子」だけは教えなかった。

それどころか、

——中国《から》から「孟子」を積んでくる船は古来かならず転覆する。

という伝説が、儒者のあいだに常識として普及していたほどであった。考えてみるとこの「孟子」を自分の思想のよりどころの一つとしていたという、この寅次郎

はその点でもよほど風変わりな若者だった。「孟子」という思想書では、列強の富国強兵方針を不可としていた。さらには国家の目的が利益追求であることを否定した。このため武力で天下を制する覇道をいやしみ、当然のこととして日本の徳川幕府が否定さるべき存在になるのである。さらに「孟子」の怖《おそ》るべき点は、国家においてもっとも重いのは人民であるとしていることだった。人民に次いで重いのは社《しゃ》稷《しょく》（機関としての国家）であり、もっとも軽いのは君主である、ということだった。これでは幕藩体制そのものを否定することになり、毛利の殿さまを軽んずることになるであろう。げんに寅次郎ののちの門人たちはこれを軽んじた。もっとも寅次郎自身は「孟子」によって天皇と毛利侯を軽んずるということをひそかにおそれ、養家の吉田家の家学である山鹿素行の思想をむしろ「孟子」より上位に置き、さらに浅見絅斎《けいさい》の「靖献遺言《せいけんいげん》」を重視し、これをもって日本的忠義の倫理書としたが、しかし獄中ではもっぱら「孟子」に傾斜し、これを講義しつづけた。この講義は同囚の者とくに河野数馬と吉村善作を感動させ、さらにおどろくべきことに、刑務所長である司獄の福川犀之助とその実弟の高橋貫之助までが寅次郎のもっともつつましい門人になった。

ただ富永ひとりが、

「寅次郎は無道者である」

と、けちをつけつづけた。

「寅次郎は若僧だ、なにも知らぬのだ、知らぬから孟子をやるのだ」

と、しきりにいうのである。つまり「孟子は危険書で、それを船載してくる船はみな沈む」という日本の儒者のあいだの伝説を、富永にすれば、寅次郎は知らぬ、知らぬから儒者として玄人ではない、という。筋の通った儒者というものは「孟子」をやらぬのだ、寅次郎は素人《しろうと》だ、と言いつづけるのである。

「私は書生にすぎませんから」

と、正直にみとめ、「私にはまだ大学のよさがわかりません」といって、暗に「大学」を好む富永さんこそ儒者として玄人です、とも富永にはうけとれるように言った。このため富永はこういう寅次郎の態度に好感をもち、やがて講義の邪魔をしなくなった。ただ富永は「孟子」が好きになったわけではなかった。型どおりの儒学のみを正統と考えていた。考えてみると、ふしぎなことであった。富永は萩城下のひとびとから、

「芝居でいう悪形《あくがた》（敵役《かたきやく》）とはああいう男だ」

といわれるほど厭味《いやみ》で増上慢で自己本位でよくいえば狷介《けんかい》な性格をもっていなが

ら、結局はその精神も知識も平凡で、思想といえるほどのものをもっていなかったのはどういうことであろう。富永の書が手本そっくりであるという点も、事情が共通していた。富永には個性というにあたいするものはなにもなかった。

ただ頑固なだけは頑固であった。富永は晩年も「孟子」を近づけず、

「寅次郎は孟子を好んだが、孟子は名分を紊《みだ》れさせる書だ」

と言い、人にはいっさい講義しなかった。ここで富永がいう名分とは道徳上まもるべき秩序律、とでもいうべきもので、たとえば臣は臣としての分際、子は子としての分際をまもるべしということであった。富永こそ天性名分を守りがたい男であったが、しかし富永にすれば「儒学の伝統では孟子は名分を紊れさせるとなっている」という型どおりの知識がかれの誇りであった。だから「孟子」が西をむいていようが東をむいていようがどちらでもよく、まして寅次郎を理解してやろうとするような親切心などかけらもなかった。

富永には、いまひとつ才能があった。自己保存の異常につよい性格に根ざしたものかもしれないが、どうしようもないうそつきであることだった。

寅次郎も後年になってこれに気づき、ひどく驚き、

「此人《このひと》、虚言の名人なれば、一度書通面接でもすると（一度でも手紙をやったり、

面会したりすると）忽《たちま》ちに尾を附け、羽を附け、埒《らち》もなき事を云散《いいち》らす事、必然なり。此事、迷惑の第一也」

というような手紙を土屋蕭海《しょうかい》という友人に書かざるをえないはめになったが、しかし獄中で富永に接しているとき、寅次郎は虹《にじ》のようにうつくしい錯覚を富永の上にえがいた。このことは寅次郎の終生の美徳ともいうべき悪癖であった。かれは獄中で富永を卓抜した偉丈夫と見た。錯覚ではあったが、しかし寅次郎のこういう懸命で熱狂的な錯覚というのは、むしろのちにかれに接する多くの平凡な若輩たちを感奮興起させるもとになり、ついにはかれらをして思いもよらぬ英雄的行動をなさしめるという壮大な歴史のロマンをつくるのだが、しかし相手が富永有隣では寅次郎の歯が立たなかったといえるかもしれない。

富永が天性のうそつきであることは、漢詩が巧みであることもその証拠のひとつだった。こういう言い方は多分に誤解をまねくおそれがあるが、漢文、漢詩というのは頭からうそを書く詐欺漢の心情をもってつくってゆけば、多少の詞藻のもちぬしなら水準にちかい作品が仕組みあがってゆくというふしぎな文学的分野である。本場の中国でさえ、この事情はさほどかわらなかった。中国人にとってさえ、日常の生きた言語でなく、心情の通わぬ古代言語を詩文においては用いるため、そこに作者の本音や良心を当人でさえ気づかぬほどの自然さで麻痺《まひ》させることができるという都合のいい断絶が生じる。あとはうその技術である。古人のつくった文学的フレーズや文学的熟語をモザイクのようにあてはめてゆけば激情をうたいあげた憂国慨世の詩文もできるし、世塵《せじん》を嫌厭《けんえん》して山林に隠れたいという清狂の作品もできる。

むろん、この通例は天才においては通らない。たとえば日本では菅原道真《みちざね》のように本音をみごとに中国語の詩にすることができた人物も多くいたが、元来がその人物と無縁のいかがわしい詩文が無数に生産された。慷慨《こうがい》の詩なら慷慨の詩の型をたくみに模倣する者が、ときに世人を驚嘆させ、その人物の本質であるというぐあいに錯覚された。寅次郎は正直者だったために、和文では平明達意のすぐれた文学的文章を書く才能があったのに、漢詩はかならずしも巧みでなく、むしろ巧みでないところに寅次郎の信頼すべき人柄が露呈しているということができるのだが、ところが富永有隣は寅次郎を驚倒させたほどに志の高い漢詩をつくった。

「こういう詩ができた」

といって富永が詩を寅次郎にみせたとき、若い寅次郎はふるえるほどの感動をおぼえた。

富永の詩をここに写すのは煩《わずら》わしいが、たとえばその憂国の詩ひとつをみても、もし富永を知らない人がみれば、世界を救済しようとして悶《もだ》える一大予言者の姿をそこに見出すにちがいない。

意訳すると、

「自分の生死は天地に酬いるためにのみある。自分の進退は国家を護《まも》るためにのみある」

と、この富永が意外なことをいう。正確には富永がそう言っているのではなく、漢詩が富永にそういわせているのである。

「なるほど自分はいまその志を怠っているかのようである。しかしそれは泥や沙《すな》が足にまとわりついて（牢獄にいることをさすのだろう）身動きができずにいるからである。おりから醜夷（外国人ども）が狡黠《わるがしこ》い魂胆をもって日本をうかがっているが、しかしながらわれに三尺腰間《ようかん》の剣があり、その百練の鋭利さは決して衰えていないのである。君子はつねに正道を守り、百事阻難《けわしき》にさからってゆく。困難な時期ではあるが、しかし青天をあおげば日月はあかあかと懸《かか》っている。一時の身の浮沈などなにを思いわずらうことがあろう」

要するに野山獄は、終身刑である。

寅次郎の場合、やや特別で、藩が寅次郎を悪《にく》まず、ただ幕府への遠慮という政治的理由のために入牢させたもので、当の寅次郎も、自分はあるいは終身ではないかもしれないとうすうす思っていた。ところが入牢してみると、浮世であれほど世間に迷惑をかけたあくの強い連中が、可憐《かれん》にも、

「この牢で生涯を終えざるをえない」

と運命にあきらめきっている様子をみて、寅次郎は「嗟愕《さがく》して涙下」り、同情のあまり自分もかれらとともに一生をここで送ろうとした。その寅次郎の気分が囚人たちの心にひびいて、かれらは寅次郎の学問好きをつい真似《まね》るようになった。寅次郎の言葉によれば「野山屋敷（野山獄）中、学問起り立ち」という現状になり、底ぬけの楽天家であるこの若者は「もし自分が一生ここに居るなら、数十人のうち、この獄中からかならず一二《いちに》の傑物を出すことになるかもしれない」と期待するようになった。

が、寅次郎は一年二カ月で獄を出されて、実家の杉家に居らしめられることになった。といっても、囚禁の身であることに変わりがなく、杉家の一室を牢として自宅禁錮《きんこ》のかたちになっただけである。寅次郎が英国の作家スティヴンソンにまで書

かれるようになった有名な松下村塾はこの幽囚中にはじめられるのだが、野山獄を出てからかれがやったことは、藩に執拗に嘆願して獄中のひとびとを出獄させることであった。

「寅次郎は世間知らずでこまる」

と、藩の要路のひとびとは最初は当惑した。野山獄の囚人という社会の非適合者たちは死に至るまで社会から隔離しておくというのが藩の伝統で、同時に知恵というべきものであり、出獄させることは兇獣を野に放つようなもので、危険このうえなかった。ところが寅次郎の各方面を説きまわっている文章によれば「いま天下は賢材を必要としている。それを獄中で死なしめてよいのか」とまでいうほどで、藩当局者たちは寅次郎のほうこそ狂ったのではないかと思ったほどであった。

ひとつ思い立てば、寅次郎は病的なほどに執拗であった。かれはまず富永有隣を出獄させようとし、要路の人にあたり、また四方に手紙を書いて同情的な世論をつくりあげようとした。

寅次郎は江戸藩邸の親戚の久保清太郎をこの運動の協力者にするために手紙を書いたが、その手紙に富永の近作の詩二絶を添えている。国士としての激越な志をのべた詩であった。富永は寅次郎が自分の出獄運動をしているということをすでに知っていた。

「膝《ひざ》を撃ち、燈前歌はんとして狂せんと欲す」

というのは、憂国の思いに狂いそうだ、ということである。

「数行の悲涙、衣裳に滴《したた》る。名を青史に伝ふるは寧《むし》ろ慊《あきたらむ》と為《な》し、骨を黄沙に曝《さら》して始めて香《かおり》有り」

名声を後世に遺すのはかならずしもうれしいとはおもわない。むしろ国事につくして屍《しかばね》を沙上に曝したいとおもうのである、という意味だが、寅次郎はこの詩に感動して、

「これほどの人物を空《むな》しく獄中で朽ちさせてよいものであるか。有隣は当世観《み》ること希《まれ》なる奇節の士である。しかし惜しいかな、獄に坐して脱するあたわず」

と書いた。「当世観ること希」というのはいかにも誇大な表現だが、人間というものに大感動を発するのはこの若者の特徴であった。富永はおそらくこの若者の癖《へき》を知っていたのにちがいない。

ただ寅次郎は富永の性格的欠陥は知っていた。しかしそれをも美化しようとした衝動が、藩当局にさしだした富永のための嘆願書によくあらわれている。

「かれは決して悪人ではありませぬ。ただ他人の悪口をいう癖があるだけです。不

忠不孝の者ではなく、不義に与《くみ》するような人でもありません。自分はこの人と交わりをむすびました。それ以来、稍《やや》経学をもって誘いましたところ、粗豪の人がにわかに素直になりました。ゆらい悪を悪《にく》む人は善についても積極になると申します。以前のかれといまの彼をみると、あたかも富永が二人いるようにさえ思われます。その書を読む力は敏捷《びんしょう》で、文を作る力は警抜であります。こういう人を幽愁鬱積《うっせき》の中に置き、ついに野山の鬼たらしめてよいものでしょうか。こういう人を世間に出して働かせるのは、国家の福であります」

この嘆願書の文章は、富永を語るよりもむしろ寅次郎という人物をよく語っている。

寅次郎の運動方法は、徹底していた。かれは富永の出獄にもっとも反対するであろう富永の親戚代表である羽仁彦兵衛にまで働きかけている。寅次郎は、この当時江戸藩邸にいた親友の秋良敦之助《あきらあつのすけ》という人物が羽仁と懇意だということを知って、江戸へ手紙を書き「どうか羽仁彦兵衛をなだめてくれ」とまで申しおくっている。

ついに藩当局がうごかされ、

「寅次郎のいうとおりにしてみよう」

ということで、安政三年十月十四日、ほとんどの囚人が釈放された。「前代未聞の事也」と萩城下のひとびとはおどろき、かつ危《あや》うんだが、しかし滑稽なことに富永だけが例外であった。藩当局は富永がかつて殿中で小姓を勤めていただけにその人間の表裏を知りぬいており、「寅次郎は騙《だま》されているのだ」として放免しなかった。

寅次郎の執拗さは、それでもなお嘆願運動をやめず、ついに翌安政四年七月三日、富永有隣を獄から出したのである。

しかし藩当局の不安は、富永がなお藩士であるとはいえ家禄も役目も屋敷も召しあげられていることで、かれが出獄しても落ちつくべき所がなかった。浮浪をして城下をさまよえばろくなことはなく、さらには当の富永もたちまち食うにこまるのである。

寅次郎は、このことも承知していた。

「拙者の兄がひきとります」

と、申し出た。寅次郎も自宅禁錮の身で囚人にはかわりなかったから、囚人が囚人をひきとるわけにゆかず、杉家の当主である兄梅太郎にひきとってもらうことにしたのである。杉家は寅次郎の幼少のころは借財があって極貧というに近かったが、その後やや楽になったとはいえ、居候を置くほどの家計はなかった。しかし梅太郎は、「家族の食を減らせばなんとかなるかもしれない」といって弟の道楽をたすけた。

　寅次郎は安政二年暮以来、萩の郊外の松本村の自宅（杉家）で禁錮囚の生活を送るようになったが、近所の子弟がこれを聞きつたえて何人かがひそかに学びに来た。初学の少年が多かった。杉家は、近所の久保家、玉木家と親戚で、これらが以前から寺子屋風の私塾をひらいたり、閉じたりしていたので、藩校の明倫館《めいりんかん》にゆく資格（上士にかぎられている）をもたない軽輩、足軽の子や町家の子が初学を学びにくるといういわば道がついていて、寅次郎が後世有名になる思想家であるということで来た者は、最初はすくなかった。

　寅次郎はそれらを幽囚室で教えた。むろん内密にであった。禁錮刑の者は外部の者と公然往来することはゆるされなかったのである。寅次郎は熱心に教えた。翌三年になると門人がふえる一方で、さらにその翌四年になると、松下村塾には初学の少年よりもむしろ寅次郎の風《ふう》を慕ってくる青年が多くなった。明倫館に在籍する上士の子弟までがやってくるようになった。

　このころ、富永が出牢したのである。

寅次郎が外出できないため、兄の梅太郎と、すでに江戸からもどっていた久保清太郎が、富永のために衣類や履物《はきもの》をととのえて、牢までむかえに行った。

「脚が萎《な》えている」

と、富永は郊外の松本村への途中、何度も路傍に腰をおろした。暑いころで、のどがしきりにかわいた。「そのあたりの百姓家で水をもらってきてくれ」と、久保や梅太郎を走らせた。

歩きながら、

「寅次郎は、何合ほど飲むのか」

と、梅太郎にきいた。梅太郎は、寅次郎だけでなく自分の家の者はみな下戸《げこ》です、というと、富永は「酒がないのか」とひどくあてはずれの顔をし、「せっかく世間に出たのに酒が飲めないようでは甲斐がない、酒は男子の志を温め、腸《はらわた》を焼いて鉄にするものだ、寅次郎は酒が飲めないためにいつまでも幼いのだ」といった。

梅太郎は篤実な男だけに酒の工面をあれこれ考えたが、久保は内心あきれる思いで、

(なるほど、寅次郎はこの男を買いかぶるようでは幼かったかもしれない)

と、くびをひねった。

寅次郎は、さらに周囲が信じられぬようなことをした。この出獄人をいきなり松下村塾の教授として遇したのである。

富永にすれば、当然のことであった。

「山県太華も、すでに老いている」

と、この長州第一の碩学《せきがく》であり、自分の明倫館在学当時の恩師だった人物をよびすてにし、「だから往年の駿馬《しゅんめ》もいまは駑馬《どば》にひとしい。しかし太華に代わるべき学才はいまの長州におらず、強いていえばこのわしということになるかもしれない」といったりして、「孟子」のようなものをありがたがっている寅次郎の学問など頭から認めようとはしていなかった。

富永は教授をはじめた。かれは塾生の前でも、

「寅次郎」

とよびすてであった。彼がそうよぶと、寅次郎は素直にハイと答えた。本来、年齢が下だけに呼びすてにすることは不自然ではなかったが、しかし松下村塾の事実上の塾主は寅次郎で、ふつうなら先生とよぶべきであった。先生とよぶのが馬鹿らしければ、寅次郎の字《あざな》である「義卿《ぎけい》」というのを呼びかけに使うとそれだけで儒者

風の礼にかなうのだが、富永はそれもしなかった。

「自分は、明倫館が迎えにくると思っていた」

と、富永は塾生に洩らしたことがある。富永は寅次郎の例の運動は知っていたし、寅次郎が藩当局に説いている内容もすこしは知っていた。

「国士、賢材」

と、寅次郎は富永のことをそう触れている以上、藩がこの異例の出牢をゆるしたのはこの賢材を藩立の明倫館教授にとりたてようとしたがためだと思いこんでいた。ところが草深い松本村の寺子屋の教師などにさせられようとは思いもよらぬことであった。このことが富永の不満になった。さらに富永の不満は、

「銭はくれぬのか」

ということであった。

こまったことに、松下村塾の月謝は無料であった。寅次郎も一文の銭も教授料として得ていない以上、富永も無給であることは当然だったが、かれはそうは思わず、

「寅次郎はおのれの好き勝手でやっていることで、あの男はそれでいいだろう」

寅次郎は下戸だからいい、しかし自分は酒を好む、この塾では、酒代《さかて》も出ないではないか、といっていた。

「おれをうまく利用しやがった」

と、富永は生涯言いつづけたが、この時期、かれは城下の知人のたれかれなしに言ってまわった。寅次郎めは詐略にかけた、あいつはおのれの名声を得るがためにこのおれを出牢させ、恩に着せて無給でつかっている、そういう細工を見ぬけぬおれだと思っているのか。

しかし富永にとって不幸なことは、寅次郎は早くから教師無報酬論の論者であることだった。嘉永四年かぞえて二十二歳の二月二十日に藩主に教育論について上書しているなかに、「ちかごろ師道がゆるんだ原因のひとつは師匠が報酬をとるからである。家禄を頂いている以上、弟子に教えることも御奉公のひとつで、報酬をとるべきではない」と書き、さらに寅次郎はかつて江戸に遊学したときもっともおどろいたのは、学問の師匠が「講ヲ売リテ耕ニ代フ」という商売人であるということだった。このため寅次郎は月謝をとらなかっただけでなく、昼の弁当をもって来ない者には杉家の台所へつれて行ってめしを食わせた。塾の費用はすべて杉家と久保家が負担していたのである。

そのころまで塾舎というものはなく、狭い杉家の一室があてられていたが、富永が教授になったころから四カ月後に、杉家の敷地の片すみにあった物置小屋を改造してそれらしい体裁のものができた。

横山幾太という少年の塾生がいた。

かれは後年、山口県の郡長などをし、明治三十九年六十六歳で没したが、松下村塾に通っていたころのことを子孫のために書いた文章を遺している。

「自分を塾につれて行ってくれたのは、近所の天野御民《みたみ》（のち冷泉《れいぜい》雅二郎）であった。自分の十七のときである」

すでに塾舎はできていた。

出てきたのは、体の大きな「面目醜陋《めんもくしゅうろう》なる人」であった。その人物が、かれ自身が手写したらしい仮名まじりの書物をあたえ、

「帰ってこれを読め」

といった。最初の日はそれだけであった。

帰路、ふしぎに思った。この不審のくだりについての横山の文章を直訳すると、

「吉田先生というのはまだ若いときいていた。ところが、先刻の人は若くはなかった。さらに吉田先生というのは一種鬼神のごとく常ならざる人だときいていた。ところが先刻の人の容貌言語を見るに、すこしも人を動かすに足るようなものがない。じつに奇妙に思った。自分がだまってそのことばかり考えていると、天野御民がそ

れを察し……」

天野は、いった。

「今日の人は先生にあらず。富永有隣という人なり」

有隣は面貌醜陋という奇怪さをもった男ながら、しかし横山のような初対面の少年の目にも、「容貌言語人を動かすに足る」ようなかがやきをもっていなかったとみえる。

むしろ容貌の造作では寅次郎は有隣よりはるかに平凡で、長州あたりに多い面長《おもなが》色白で、わずかにあばたがあった。小柄で挙措動作に花やかなところがなく、渡辺蒿蔵という弟子の談話速記にも、「激語もせず、滑稽もいわず、おとなしい人であった。塾生への言葉も丁寧で、アナタといった。敬語をつかっていた。年少の者に対してだけはオマエといった。少年にも言葉づかいは丁寧であった」というから、一見めだつはずのない若者だった。

ところが横山幾太がつぎにゆくと、寅次郎がいた。

「その容貌言語、果たして人に異なり……」

と、少年にとっても目を洗われるほどに印象が鮮やかだったらしい。

「御勉強サレラレイ」

というのが、寅次郎が横山にいった最初の言葉だった。横山は終生このときの寅次郎の表情や声をわすれなかった。そのときにいた受講者はちょうど七人か八人であった。横山はさがってさきに富永からあたえられた書物を読んだ。横山がおどろいたことに、いつのまにか寅次郎が横山のそばにきてすわり、一節を読んでくれた。そのうえ、横山を一人前の士大夫であるかのようにして、

「この書物は〝常陸帯《ひたちおび》〟という題がついていて、水戸の人藤田東湖先生のあらわしたものです」

といったあと、東湖の人となりをくわしく話し、「私は東湖先生に会ったことがあります。東湖先生はこう、髪はこう、総髪にむすんでおられて」と風貌まで語った。横山が内心大いに「驚き、よろこび、恐縮した」というのは、寅次郎がすこしも師匠ぶらず、単に年長者というだけの態度だったからである。

そこへゆくと、富永有隣は多くの師匠がそうであったように、幼い塾生どもを「虫蟻《ちゆうぎ》」のように見た。

「はじめて塾へ行った者は、みな富永有隣を吉田先生であると誤認した」

と渡辺蒿蔵も語っているが、この塾舎における態度や塾生に対する容儀の尊大さはたしかに塾主のようであった。それにひきかえ、寅次郎のすわる場所はきまって

おらず、塾生のあいだに座を転々と移し、もし塾に無縁の者がこの光景をみれば寅次郎のほうが助教であるように錯覚したにちがいない。

有隣は寅次郎を内心、

「小僧が」

と、にがにがしくおもっている。しかし杉家に起居している以上、蔭では言っても面とむかってはその感情を噴き出すわけにいかない。その分だけ、塾生に対してつらくあたった。とくに人によっては目の敵《かたき》にした。伊藤博文なども年少できていたのだが、変に小生意気で、あまり学問の基礎もできていなかったため、有隣はかれの顔をみると「利助のアホウが」と馬鹿あつかいにした。博文は当時利助、のち俊輔といった。少年の身ながら他家の使い走りをして家計をたすけているため時間の余裕がなく、このため塾にあまり顔を出さなかったが、ひとつには有隣に対し子供心に含むところがあった。そのせいもあって博文は生涯松下村塾の時代を懐しまず、師の松陰――寅次郎――に対してさえ、他の連中のような尊崇心をはなはだしくは持たなかった。有隣への悪印象が、松陰への印象まで暗く灰色ににじませていたにちがいない。

富永の寅次郎への軽蔑《けいべつ》は、寅次郎が学問の型を教えることに熱心でないことであった。学問とは一点一画をゆるがせにせず、重要な典籍を暗誦《あんしょう》させるということであるべきだが、寅次郎はそういう瑣末《さまつ》にはやかましくはなかった。

「寅次郎には学問がわからない」

と、富永は萩城下の知人たちにも言い、塾生の習学を堅牢にせしめるという塾が塾であることの権威はこの有隣がまもっている、寅次郎のやつは小僧相手に法螺《ほら》を吹いているだけだ、とも言いふらした。この評はむろんあたらなかった。寅次郎は人間には記憶力の良否があり、性格もまちまちで、塾生の人《にん》を見てそれに適応する教育をほどこしているつもりだった。「記憶」という言葉はすでにこの当時塾ではつかわれていた。たとえば塾生天野御民の後日談に、

「私はとくべつ記憶が薄うございます」

と寅次郎に申し出たところ、寅次郎はそれでもいいのだ、とかれの教育観を話した。塾にはほとんど低能にちかい少年もいたし、単なる不良少年もおり、しかしながら天才的な青年や、志の高い青年もいた。寅次郎はそれぞれの資質に応じ、しかも一人々々に対し倦《う》むことなく接した。雑談が多かった。当然、訓《よ》み書きを教えるのは富永のしごとになった。

「寅次郎には師匠としての威厳がない」

とも、富永は言いまわった。

富永は威厳をもって構えているつもりであった。むろん富永の威厳というのは少年たちの目にも浅ましくおもえるものであったが、当の寅次郎は富永がいかにも師匠然と構えていることをよろこんでいた。

――あれでなくてはいけない。

と、寅次郎が思っていたのは、富永がみずから作っている威厳にひきずられて人柄がよくなるであろうと期待していたのである。寅次郎は内心、富永をも教育するつもりで塾の師匠にした。

寅次郎は博覧強記の若者で、おどろくべきことにアメリカの囚人教育（上海《シャンハイ》あたりで漢訳されたもの）を読み、富永は知らなかったが、野山の獄中で「福堂策」というあたらしい刑務所制度を藩当局に上申していたのである。福堂とは、善人をつくりだす幸福の殿堂だという意味で、獄中は囚人の自治たるべきこと、学問をたのしませること、月に三、四度は医者に健康診断させることなどであった。

「米利堅《メリケン》の獄制を見るに……獄に入るときは更に転じて善人となると云ふ」

と、書いている。藩はむろんこれを取りあげなかったために、寅次郎は自力で富永を善人にしようとおもい、松下村塾の教師にしたのである。むろん富永のほうは、寅次郎の魂胆など知らなかった。知れば、この異常な自尊心のもちぬしは、激怒して去ってしまったかもしれない。

しかし富永は、寅次郎と訣別《けつべつ》せざるをえないときがきた。

寅次郎は自宅禁錮にあったことわずか三年でふたたび野山獄に入れられたのである。藩としては寅次郎を悪《にく》んでのことでなく、尊攘《そんじょう》派の弾圧政策を進行させている幕府を憚《はばか》り、むしろ寅次郎を保護するために入牢させたのだが、幕府は容赦せず、

「その者を江戸へ送れ」ということになった。

再度の野山下獄のときに、寅次郎は富永の前に出て丁寧に頭をさげ、

「塾のことは、よろしくおねがいします」

と、後事を託した。寅次郎がいなくなっても、官学（明倫館）にゆく資格のない初学の少年たちがこの塾に読み書きを習いにやってくるのである。寅次郎はその面倒を富永にみてもらおうとおもった。

「承知した」

と富永はうなずいたが、あとで、

「寅次郎も虫がいい。おのれの不在の面倒をおれにみろというのか」

とひとにいった。富永にすればそんなことより彼自身が私塾をひらいたほうが晩酌の一合でも飲める身になれるのである。「寅次郎というのはああいうやつだ」と、ひとに言いふらした。

寅次郎が再度野山獄に入ったとき、寅次郎を敬慕する門人たちはあらそって獄舎のまわりをうろつき、しきりに手紙を差し入れ、なお教えを乞おうとし、寅次郎もさかんに返事を書いたが、しかし後事を託されたはずの富永は一度も野山獄に訪ねてやろうとはしなかった。

おそろしかったのである。

(自分も牢に入れられるのではないか)

という、藩当局も塾生たちもおよそ思いもよらない痛点を富永だけが持ち、富永ひとりが恐怖し、戦慄《せんりつ》していた。この心事は獄中経験をした者でないとわからない機微かもしれず、あるいは尊大な者が往々もっているけたはずれの臆病さによるものかもしれなかった。ともかく富永にすればもう二度とあの獄へ戻るのは御免であった。富永は寅次郎と一緒に松下村塾で塾生を教育した。当然、幕府も藩も寅次郎と同罪であると疑うであろう。寅次郎の下獄の理由や幕府の寅次郎への嫌疑は富永のその恐怖とはまったくべつの問題であったが、富永にすればそうはおもえなかった。かれは寅次郎と数珠《じゅず》つなぎになって牢にほうりこまれないために、何者をも売ろうとした。このことは富永の悪徳というより極端な臆病さによるものであり、極端な臆病というのはそれ自体が悪でありうる場合が、あるいはあるのかもしれない。

「寅次郎は妖言《ようげん》を吐いていた」

と、富永は自分をまもるために、萩の城下のあちこちに言いふらしはじめたのである。妖言というのは、幕法でもっとも忌《い》まれるところであった。江戸二百七十年間、妖言を吐いたということでどれだけ多くのひとが刑殺されたかわからない。

「わしは寅次郎の妖言とはなんの関係もない」

とも富永はいった。富永にとってこれが重要な点であった。

富永は誰かれなしに会ってはこれを言った。相手に見境いもなかったことは、かつて寅次郎にたのまれて富永の出獄運動をした秋良敦之助にまでそのことをいったことでもわかる。

秋良がたまりかね、どういう妖言だ、と詰め寄ると、富永はさすがに返答に窮し、

「孟子だ」

と、いった。さらにいう。「孟子」は妖言の書である、なぜならば君臣の名分を

紊《みだ》すからだ、寅次郎はあたかも門徒の宗門が阿弥陀経を奉ずるがごとくにして「孟子」を奉じていた、自分はこれに反対であった、と富永はいうのである。

　富永は、寅次郎が野山獄に送られた数日後に松下村塾を出てしまった。そのあと、狂ったように寅次郎や杉家の悪口をいってまわった。

「沢庵《たくあん》しか食わさない」

　というような次元の話柄《わへい》もあった。事実ではあった。杉家は居候の富永にだけでなく、めしどきになればどの来客にも食事を出す習慣があったが、ただ杉家そのものが貧乏であったために家族の副食物はまずしく、富永は杉家の家族とおなじものを食っていたにすぎない。杉家の生活には農業も入っていた。寅次郎の父も兄も畑を打っていた。富永が食っているものは、寅次郎の父兄が菜園や水田でつくったものであった。

「富永が逃げた」

　ということを、寅次郎は野山の獄できいた。さらに富永が自分がいかに寅次郎と無縁かというためにさかんに悪口を言ってまわっているということを聴き、司獄の福川犀之助さえ驚いたほどに深刻な衝撃をうけた。寅次郎は、かれを支えてきた性善説というのが、もはや生涯が終るかもしれないこの時期になって崩れるのではないかという恐怖を、自分自身に対して持ったのである。

「悪人というのは、いるのです」

と、寅次郎の牢格子のむこうの牢格子から言ったのは、まだ放免されずに――引取人がいないため――残っていた高須久だった。彼女は寅次郎が富永のような男に入れあげていたのが最初から不満で、寅次郎を尊敬しつつも、

（えらい人でも、やはりお若いという未熟さはどうにもならない）

とおもっていた。

寅次郎は、偽善者ではなかった。衝撃をうけたあとぼつ然と忿《いか》りを出し、

「老狡《ろうこう》、憎むべし」

と叫んだひとことは、寅次郎の死後もその門人たちにながく伝えられた。手紙も書いた。例の土屋蕭海に対してである。

「富永の事は承知仕候。僕強《しい》てこの輩を怒るには無之《これなく》」

からはじまる。その手紙によれば、富永だけでなく人間危険に際しては右顧左眄《うこさべん》し、事がすぎて身が安全になってから弁解を喋々《ちょうちょう》としゃべるものなのです。ただにこの人（富永）にかぎっては脱去しても家がなく、手に職もないから食べてゆくこともできない、という。この手紙においても寅次郎は執拗さが出ていて、もし自分

が生きて戻れることがあれば、富永の身がもう一度立つようにははからってやらねば仕方がない、といっていることである。

寅次郎は、藩のこの野山獄から江戸へ檻送《かんそう》されて身柄が幕府の手にわたればあるいは死刑になるかもしれないとも思っていた。自分の死後、有隣ごとき、自分をすこしも理解してくれなかった男に「埒《らち》もなき事」をとやかく言い散らされるのはじつにつらい、と寅次郎はこぼしている。このあたりをくりかえして、

「自分は、自分の言動について世間の口舌に遇《あ》う（批判される）ことは敢《あ》えて辞さない。しかし有隣のような男にいわれるのはかなわない」

という。自分の生涯がよごされてしまうような気がしたのである。

高須久はつづけて、

「よろしくございませんでした、ああいう人をお近づけになったことは。――」

といったが、寅次郎はそうは思いません、と強くいった。この期《ご》になってあわただしくそのことを後悔すれば自分の生涯を自分で否定するようなものであった。

安政六年五月二十五日、寅次郎を収檻した駕籠《かご》が江戸にむかうべく野山獄を発《た》った。高須久が贈った惜別の句に対し、寅次郎は、

「一声をいかで忘れんほととぎす」

と書き、久に贈った。これが高須久のためには寅次郎の辞世の句になった。

この年の十月二十七日、寅次郎は江戸伝馬町の獄舎において死刑に処せられた。

その後、富永は、寅次郎が心配したように藩内を漂泊した。一時藩内の周防《すおう》の瀬戸内海に面した秋穂《あいお》村の寺を借りて私塾をひらいたり、妹の婚家(周防熊毛郡城南村末岡家)に身を寄せたりした。著述もおこなった。「中庸義解《ぎげ》」「兵要録口義」といったものだが、いまは遺っているのかどうか。

富永有隣がふたたび歴史——大げさだが——に登場するのは、明治二年から同三年にかけてのいわゆる脱隊騒動のときである。

維新の革命戦ともいうべき戊辰《ぼしん》戦争は、敗れた旧幕軍のほうも悲惨だったが、勝った官軍の兵のほうもいい目をしたわけではなかった。

遠く箱館まで遠征していたかれらは、明治二年夏に長州に凱旋《がいせん》したが、故郷で待っていたのは褒賞ではなく人員整理であった。凱旋兵は五千人を越えており、藩ではとてもこれを養う能力がなかった。かれら兵隊たちは士農工商から出身問わずに志願した志願兵で、下関攘夷《じょうい》戦争から幕長戦争、戊辰戦争にかけて命を銃弾に曝《さら》して戦ってきた。藩ではかれらの解体後の生活を保障してやる財力がなく、結局公債という紙きれでも渡そうという議論もあり、このうわさをきいて兵隊たちは騒然となった。そこへ、

「優秀な者は常備軍として残す」

という方針がうち出されて騒ぎが大きくなった。常備軍を二千人採る。その間引きの人選もおこなわれた。当然ながらその選考に洩れた者が激発した。かれらは解散を命ぜられていながら銃器をもったまま解散せず、藩内の要所々々に砲台や土塁を築いて屯集《とんしゅう》した。

その人数は、千八百人にのぼった。その諸隊は、幕末以来回天の栄光をになった隊名がずらりとならんでいる。日本最強の庶民軍といわれた奇兵隊、かつて高杉晋作がやった藩内のクーデターについて行った遊撃隊、それに整武、振武、鋭武の諸隊であった。

このころ藩主は藩知事という名称になっていた。その藩知事が四方の蜂起《ほうき》部隊に使者を出して説得し、東京からはこの藩の代表的革命家であり、寅次郎の准門人だった木戸孝允《たかよし》もかけつけて対策にあたった。が、かれらはきかず、ついにこの「脱隊兵」が山口の藩庁を包囲して庁内に乱入するというさわぎもあった。おりからこ

の年は飢饉《ききん》で、百姓一揆《いっき》もおこった。

ただかれら「脱隊兵」には、指導者がいなかった。藩庁に嘆願書をつきつけるにも、文章を整える者もいない。要するにさきの常備軍編成のときに学問のない者がはねられたのである。嘆願書を書くのも、そのあたりの僧侶をおどして書かせるが、おどされた僧侶たちも、

「これでは書きようがない」

と、筆を投げる始末であった。かれらが口々に僧侶へいう不平不満は単にうらみ、つらみだけで、不平不満、大義名分という柱を立てなければ嘆願文にはならないのである。

このため、まず指導者をかつがねばならなかった。指導者とは不平不満にうまく大義名分のスジを通してくれるという存在であり、まず大楽源太郎《だいらく》がえらばれた。大楽は幕末にあっては勤王奔走家として知られた男だったが、仲間たちに嫌われ、維新後は失落して周防の台道村《だいどう》で私塾をひらいていた。いわば不平不満の専門家のような男であった。

「大楽先生もいいが、富永先生をかつぐほうがいっそうよさそうだ」

と、宮市《みやいち》の屯所で会議があったとき、そう言いだした者があった。富永有隣とい

う名を知らない者がほとんどだったが、多少の消息通が富永の前歴を説明したとき、期せずして大歓声があがった。

松陰吉田寅次郎というのはもはや松本村の寅次郎ではなく、長州の革命的な神像になっていた。寅次郎の死後、松下村塾の門下生たちが藩内で政党化し、かつての藩内クーデターのあと長州藩を牛耳《ぎゅうじ》り、いまや明治政府の要人たちになっていた。富永はその松陰が兄事して松下村塾の教授にまねいたほどの人だといえば、

「その富永先生が立てば、東京の顕官どもが平身低頭するのではないか」

と、脱隊兵たちがみなおもった。使いが走り、城南村に陋居《ろうきょ》している富永が宮市に迎えられた。かれが天満宮の朱の楼門のかがやく宮市の屯所に乗りこんで一同の歓声をうけた光景は、あたかも救世主であった。富永は寒がりで、ぼろのような羽織を二枚着ていた。姿こそ冴《さ》えなかったが、この男の生涯における唯一の栄光の瞬間であった。

趣旨をきいたとき、富永の顔はみるみる紅潮し、

「やるかァ」

と、鉄梃《かなてこ》で半鐘をひっぱたいたような声を発したのは、かれの臆病をかれ自身が殴り殺すといった一種の発作で、挙兵はおそろしくもあったが、それ以上にここ数

年鬱積しつづけた鬱懐がやりきれなかったのである。松下村塾でかれが教えた連中がみな東京で栄達し、かれだけは見捨てられていた。かれはそれを、自分だけが迫害されていると信じていた。

「伊藤が博文などと称しているそうな。あれは利助といって無類の無学者だ。中間《ちゆうげん》の子の山県《やまがた》なども有朋《ありとも》などと称し、しきりに松下村塾にいたと詐《いつわ》っているらしいが、このわしを知るまい。要するに世渡りのためのうそである。品川弥二郎などもくだらぬ子供であったし、桂小五郎もいまは木戸孝允と称しているが、詩も作れぬ男に国事がわかるか」

「寅次郎」

と、天下の故松陰先生を富永が呼びすてにするだけでも脱隊兵にとって驚異であり、頼もしくもあり、そのうえ「寅次郎には自分が書を教えてやったが、ついにろくな字も書けなんだ」というにいたっては松陰とのつながりの深さがしのばれて、もはやこの将軍を頂く以上、事が半ば以上成功したも同然だと一同はおもった。

戦いの相手は、常備軍だった。

脱隊兵たちの勢いは熾《さか》んで、各地での前哨戦で勝ちすすみ、山口をめざして進撃した。二月九日早朝には関峠と鎧峠《よろいとうげ》を占領し、小郡《おごおり》の柳井田の関門をとざし、山口盆地を包囲して藩庁の甍《いらか》をのぞんだとき、富永有隣は、

（これで天下をとれるのではないか）

と、ふとおもった。長州を取り、三田尻から海路東京を衝《つ》けば、東京でときめいている松下村塾出身のあの忘恩の大官どもを追って天下をとれるのではないかという、富永がかつて思ったこともない雄大な構想がかすめた。

小郡口に、常備軍がいた。これを脱隊の連中が背後から襲いかかったとき、常備軍の応戦は猛烈で一日に七万発の小銃弾を射ったといわれた。が、激戦の上脱隊組のほうが大勝した。それほど熾んだった脱隊組の勢力が、この戦勝をさかいに急におとろえたのは、常備軍の政治的指揮をとっている木戸孝允が、

――敵の大将は富永有隣か。

とおどろき、脱隊組にむかって、「富永なる者は松陰先生を裏切って、先生から〝老狡憎むべし〟といわれたほどの男だ」という宣伝をしたことも大きかったし、さらには態勢をととのえて組織的に進攻を開始した常備軍にはやはり勝てるはずがなかった。十日には脱隊組は各地でやぶれ、やがて降伏した。

鎮圧後の処罪はすさまじかった。暴動の首謀者三十六人が、山口市の小鯖《こさば》の刑場

にひきだされて斬首《ざんしゅ》された。

　ただし大楽源太郎は九州へ逃げた。かれはその後久留米藩の有志のために謀殺されるのだが、富永有隣は逮捕された。当然、首魁《しゅかい》として斬首さるべきところ、木戸孝允が、

「あの仁《じん》を、逃がせ」

と、ひそかに内命したらしい。富永はそういう差金《さしがね》があるとは知らず、暗夜警戒のすきを見て脱出し、藩内を転々と逃げまわった。木戸が富永を逃がして斬罪からまぬがれさせたというのは、ひとつには松下村塾での縁をおもってのことであったようだが、しかし表むきには、

「あれは単に狭量人というだけで、大それた事をするはずがなく、たとえ野に放っても何事もあるまい」

といったらしい形跡がある。「元来が土竜《どりゅう》（もぐらもち）だ。いま土竜を放ったところで虎に化《な》り変わることはない」ともいったらしい。富永にとって名誉なことではなかった。

　これにひきかえ、九州へ逃げた大楽の場合は、かつて政治活動をしていたという点で、野に放てば、たとえ虎でなくても野猪ほどの害はするであろう。大楽はあく

までもそのあとを追跡され、ついに前述したように久留米藩に殺された。大楽は幕末での政治活動をやめたあと、維新後は西山塾という塾をひらき、その下拙な人柄からみれば滑稽なことながら、みずから周防の吉田松陰をもって任じていた。寅次郎というあの特殊な人格をもった若者は、「松陰」という号でひろく世間に知られるようになってから歴史的権威ができ、模倣者が多かった。

富永有隣は、土佐に潜伏した。

それも七年という長期間である。明治初年の政府は警察の面で早くから中央集権的な組織をもったから、指名手配中の政治犯で富永ほどながく潜伏しえたという例は、絶無である。

「明治初年に土佐では自由民権論者を七カ年かくまったということがあります」

というかたちの説話になって高知県に伝承されている。「孟子」における一種の民本主義でさえ名分を紊されるといっていた富永が自由民権論者であろうはずがないが、もしそれが事実とすれば、明治期における同論の発祥地というべき土佐にあっては、そう称しているほうが同情をひきやすかったかともおもえる。

富永をかくまったのは、かつて土佐の武市《たけち》半平太や坂本竜馬などより早く藩外政治活動を開始して薩長の士と懇意だった大石円《まどか》（旧幕当時は弥太郎）であった。大石は新政府にも仕えたがほどなく帰郷し、香美《かみ》郡野市村の自邸に住んでいた。かれは富永を匿《かく》まうために県内でおよそ二十人の秘密の同志を組織して居所を転々とさせた。明治十年、事が露《あら》われ、大石は維新の功臣ながらそれがために一時愛媛県松山の獄に入れられた。それほどまでして大石ら土佐人が富永をかくまいつづけたのは、

「富永という人はいまでこそ不遇だが、松陰先生と相並んで松下村塾で教授をされた人である」

という歴史的信用によるものであった。富永は松陰を売ったが、松陰の栄光のおかげでしばしば命びろいをした。大石円が逮捕されたとき、大石は、

「長州人が富永を捨てたから、情において忍びず、土佐人がこれをたすけたのみである」

と、警察署においても裁判所においても口やかましく申しのべた。大石らは富永からよほど法螺を吹かれていたらしく、富永が松陰の片腕のような存在だったという事実に似たうそを本気で信じこんでいたのである。

富永は東京に檻送された。

長州系の大官たちはこの処置に当惑した。もし富永を死刑にすれば、大石の弁疏《べんそ》でもわかるように世間の伝説が伝説であるだけ、どのような不評を買うかもしれなかった。

「アイツか」

と、山県有朋などはいったという。伊藤博文は元来長州閥に興味がうすく、まして富永には冷淡でとりあわなかった。ただ品川弥二郎だけが奔走した。品川は山県を訪ね、

「あの人はいまにして思えば単に悪形《あくがた》というだけの人だから」

と、同じ言葉をくりかえした。そのせいかどうか、富永は結局、死刑にならなかった。これも松陰のおかげといえばいえぬことはない。

富永有隣は下獄した。明治十年から同十七年までという期間、かれは東京石川島監獄ですごした。獄に縁のふかい男だった。この在獄中、かれはかれのいう「寅次郎」のまねをして、囚人に漢籍の講義をした。かれが松陰の影響をうけたのは、ただひとつこれだけだったであろう。典獄も、

――さすがに松陰先生に御縁のあった人はちがう。

とほめそやして、特別なあつかいをした。しかし獄中、しきりに、

「利助（伊藤博文）は」

などという調子で、政府の顕官をこきおろすことだけはやめなかった。

明治の作家国木田独歩は父の任地が山口県で、岩国、山口などで育ったため、長州の人間風土に影響されたところが多く、早くから吉田松陰に関心をもち、明治二十四年東京専門学校を退学して山口県熊毛郡麻郷《おごう》村の自宅にかえったとき、一時英語塾をひらいた。本気で松下村塾に倣《なら》おうとしたというから、ひところのかれも松陰の模倣者のひとりだったのであろう。

この時期、

「松陰先生と一緒に、松下村塾をやっていた人が隣村の田布施《たぶせ》にいる」

という耳よりなうわさをきき、この年の八月中旬その門をたたいた。

その人物が、すでに老いた富永有隣であった。

「富岡先生」

という独歩の短編はこの時期の富永をモデルにしたもので、富永には美しい末娘がいるということに設定されている。話はこの娘の縁談をめぐっての波瀾《はらん》で、野山獄にいたころの富永の悪意のかたまりのような人柄をわずかに彷彿《ほうふつ》とさせるが、しかし独歩は生涯陽《ひ》のあたることがなかったこのモデルをむしろ痛ましさという好意的な目で見ている。この短編はのち真山青果によって脚色された。沢田正二郎が富岡先生になり、新国劇が上演して大好評だったというから、富岡先生は観客にとっても、救いのない不愉快な人物というふうではなかったのであろう。

短編のほうの「富岡先生」の冒頭のくだりの文章を、ここでわずかに拝借する。

……侯伯子《こうはくし》男《だん》の新華族を沢山出しただけに、同じく維新の風雲に会《かい》しながらも妙な機《はずみ》から雲梯《うんてい》をすべり落ちて、遂には男爵どころか県知事の椅子一《ひとつ》にも有《あり》つき得ず、空しく故郷《くに》に引込んで老朽《おいく》ちんとする人物も少くはない、斯《こ》ういふ人物に限《か》ぎつて変物《かわりもの》である、頑固である、片意地である、尊大である、富岡先生も其《その》一人たるを失なはない。

富岡先生はともかく、当の富永有隣はべつに立身すべき雲の梯《はしご》をふみはずしたわけではなかった。本来なら終身刑の囚として野山の牢獄で朽ちはてるところを、「寅次郎」という、富永からみれば変な若者が入ってきて、頼みもしないのに懸命の出獄運動をしたがために、ふたたび世間へ出たという奇運を得ただけの人物で、ただ娑婆《しゃば》に出てきて居つかされた場所というのが、松下村塾という、日本の近代史でもっとも重要な出発点のひとつになってしまった場所だというだけのことであった。

富永有隣の人生の可笑《おか》しさは、かれが歴史的な場所にいるということをまったく気づかなかったことであった。気づかなかった理由のひとつは、かれが「孟子」を怖れるがごとく嫌う風を見せつづけたことでもわかるように、当人自身は奇岩怪石のような気質の人物でありながら、ただ保守的気分しかもっていなかったためでもあったろう。富永には反骨といえるほどの骨もなかった。

しかしそれでもなお富永有隣を無視しがたいのは、かれがその意志とはかかわりなく歴史の大舞台の上に存在したということであり、松下村塾にあって久坂玄瑞《くさかげんずい》や高杉晋作などに対し、師匠として睥睨《へいげい》したことがあったということである。

独歩の「富岡先生」によれば、富永が明治三十三年に病没したとき、東京の大《おお》新聞の死亡広告欄にその死の告知が掲載されたという。長州系の元老や名士に対し、この田舎の老塾主の死を報《し》らしめておくだけの価値が、この時期でもなお存在していたのかもしれない。

大楽源太郎の生死

山口県小郡《おごおり》から折れて旧山陽道を東にむかうと、田園はまだ汚れていない。

先年の夏、この街道で得がたい道づれを得た。私は鋳銭司《すせんじ》村の百姓身分の医者の家にうまれた村田蔵六（大村益次郎）という、歴史上高名のような、しかしまったく知られていないようでもある——要するに蘭学者あがりでのちに討幕軍の作戦を指導した人物の墳墓をたずねるべく防府《ほうふ》の方角にむかっていたときであった。

「ええ、私も鋳銭司村です」

と、その人は気軽にいわれた。私はこの意外な幸運によろこび、さっそく同行を乞うと、そのひとは、ええむろんそのつもりです、参ります、といってくれた。年頃は私とほぼ同年輩で、四十七、八らしい。無口な人だが、旧制中学のころ東京に出て大村旧子爵家に寄寓《きぐう》していた、と話されたので、私は幸運の思いをいよいよ大きくした。

「ずっと鋳銭司村でいらっしゃいますか」

ときくと、はいずっとそうです、私の祖父が年少のころ、大村益次郎さんの未亡人のお琴さんの向かいに住んでおりまして、何しろお琴さんは女の独り住まいなものですから近所の若衆に頼んで夜番などしてもらっていました、祖父もそういう若衆の一人だったそうで、お琴さんのことを、気さくで陽気な後家さんだった、といっておりました、といわれた。

日本というのはごく最近まで通婚圏がせまかったせいもあって、一村一郷の人の顔はどこか似ている。このひとは、前額部がよく発達して眼窩《がんか》のややくぼんでいる点、絵像の大村益次郎にどこか似ていた。

名刺には内田伸とあった。この氏名はいくつかの著作物によってすでに山口県在住の史家としての名が聞こえていたので、「あの大楽《だいらく》源太郎の内田さんですか」ときくと、わずかに羞《は》じらいを見せ、うなずかれた。「大楽源太郎」というのはこの内田氏の著書の名である。この書物は昭和四十六年四月十五日発行・山口市木町風説社刊で、ひろくは販売されていない。しかし大楽源太郎というこのえたいをつかむことの困難な幕末長州人についての研究をまとめた唯一といっていいほどの書物である。

「私は」

と、以下は小生。

「この氏名が資料に出てくると、ついダイガクとよんでしまう癖があるのですが、やはりダイラクとよぶべきですか」

「ええ、いまでもこの県内で同姓の家が何軒かありますが、みなダイラクさん、とよんでおりますから、やはりガクよりラクのほうだろうとおもいます」

と、氏の返答はいかにも明快であった。大楽氏はもと多々良姓を称していたという。多々良氏は周防《すおう》においては古韓人の帰化族とされていた。

大楽源太郎は長州藩の門閥家老である児玉家の家来で、つまり陪臣《ばいしん》であった。陪臣の身分は足軽程度であると考えていい。

長州藩の武士たちは、かならずしも藩都である萩城下にすべてが居住しているわけではなく、藩内の山野に散在して半農半士の生活をしている者も多く、大楽家もそうであった。

旧山陽道から南へ逸《そ》れて海岸のほうへゆくと、吉敷《よしき》郡台道《だいどう》村の小字《こあざ》で、旦《だん》という漁村があり、海岸線が深く彎入《わんにゅう》していて白沙青松《はくしゃせいしょう》という形容にふさわしい。大楽家はその沙浜《すなはま》よりわずかに離れた丘陵上にあり、代々寺子屋をひらき、土地の漁師の子供たちに読み書きを教えていた。

この家から大楽源太郎が出て尊王攘夷《じょうい》の志士になり、江戸へくだり、京で駈けまわり、当時反幕傾向の知名の士とほとんど残らず交際して、同時代ではむしろ、吉田松陰やその門人の高杉晋作よりも世間に知られていたであろう。かれは暗殺を好んだが、生来、身動きが無器用で剣をあやつることがまずかったため多くは教唆者《きょうさしゃ》の側にまわった。ときにはおおぜいの激徒とともに暗殺の現場にも出かけた。しかしあぶないとみればすぐ身をひるがえして逃げた。ただし一度だけはみずから剣をあげて人を殺したことがあった。その相手は冷泉為恭《れいぜいためちか》という京の宮廷絵師で、暗殺に値するような政治家でも策士でもない。

為恭は幕末にあって正統の大和絵がかけたほとんど唯一の画家で、名品が多く残っている。かれは画技をもって御所につかえ、従五位下近江守《じゅごいのげおうみのかみ》にすすんだ。その名声は高く公家《くげ》だけでなく大名もかれを屋敷に出入りさせることを望んだが、とくに京都所司代酒井若狭守がかれをひいきにした。文久二（一八六二）年の夏、大楽は京にいた。かれが仲間とかたらい、この絵師を殺そうとしたのは、絵師が所司代に出入りしているという理由だけのものであったが、本音は他の暗殺家たちが佐幕派の名士の首をつぎつぎにあげているのをみて羨望《せんぼう》と焦燥にたえられなくなったとしかおもえない。絵師ならば大楽程度の男の手に負えた。

為恭にはむろん身に覚えなどはない。しかし哀れなほどに逃げまわった。遠く紀州へ走って粉河寺《こかわでら》で潜伏したり、堺《さかい》へ逃げて安楽院にかくれたり、おなじく堺の富商辻本徳次の手でかくまわれたりしたが、ついに大和へ奔《はし》り、丹波《たんば》市《いち》の永久寺でひそんでいたところを大楽らの発見するところとなった。大楽は絵師をだまして駕籠《かご》で連れだし、途中、人目のない場所でひきずり出し、よってたかって斬《き》りきざみ、それでもなお絵師は死なず、夢中で匍《は》おうとして頭をもちあげたところを大楽は一瞬心地よげに仲間を見まわしたあと、

「大奸」

と叫び、絵師の肩先を、彼が刀と称している大きな刃物で力まかせにたたいた。首を刎《は》ねるつもりであった。そのあと、絵師の首がごく自然に落ちた。大楽が落したのか、他の仲間がそれをやったのか、互いに気が逆上《のぼ》っていたためにたがいの記憶が一致しなかった。ただ首が落ちたとき、たがいにけもののような声をいっせいにあげたことだけはたしかであった。武者声のつもりであった。凱歌《がいか》であったか。

しかしどういう意味がこの絵師殺しにあったのであろう。

ただ大楽とその仲間の尋常人でないところは、このやくたいもない絵師をしつこく追跡し、血まなこで探索し、そして大和丹波市の野道でぶじ殺しおえるまでに二年ちかい歳月をかけていたことである。殺しおえたのは元治元（一八六四）年の五月の暑い日であった。現場には雑木が一本はえていて、そのむこうに用水池がある。池のふちに葦《あし》が密生していた。のちにここに単線の鉄道が通った。

大楽はこのあと大坂をへて京にもどり、

「岡田式部（冷泉為恭の別名）はおれがやった。首を落としたが、モトドリをつかめない。なんと坊主頭じゃった。式部めは世間の目をごまかすために坊主になりすましておった」

と、長州藩邸の連中に洩《も》らした。暗殺者はふつう同藩の者にもその事実をもらさない。が、大楽はこの無慚《むざん》な暗殺を誇った。長州人たちはそれまで大楽を自分たちの藩の尊攘運動の大先覚者として遇していたが、かれらはそのことに疑問をおぼえ、だけでなく無気味さと嫌悪感をもつようになったのは、このこととつながりがあるようにおもわれる。狂人ではないか、とおもった。とくに大楽とは別派の、むしろ大楽を早くから嫌悪し無視していたらしい高杉晋作などは、このことがあって以来、大楽とは口をきかなくなった。
しかし大楽は狂人ではない。

大楽源太郎は、人間という存在のすべてがそうであるように、じつに理解しがたい。ただ無視できないのは、幕末の資料の中にこの名前がほとんど数えることができないほどの頻度で出てくることである。ただ多くは単独ではない。徒党を組んで出てくる。徒党で出てくる人間というのは歴史というバスの中の人間と同様無視してもバスの進行にはさしさわりがないが、しかしそのバスが転覆するときにあらためてそれらの人間の住所なり姓名なりが多少の必要性を帯びてくる。ましてその人間が意図的にバスを転覆させた場合、かれを無視することはできない。

「かれは歴史の上での運が悪かっただけのことです」

と、かつて私に語ったひとがいる。そのひとは言う、明治の長州系の要人というのはおなじ山口県でも長州出身のそれも吉田松陰の門人と称する松下村塾《しょうかそんじゅく》系の人物たちです、かれらが大楽をきらい、その功業を消してしまった、もしそういう条件さえなければ大楽先生は吉田松陰にも匹敵すべき歴史的名声をえていたでしょう。

……

そのように著者に語ったのは、むろん内田伸氏のような人ではない。十年ばかり前、周防の田布施《たぶせ》から小さな半島を南下して阿月《あつき》という海岸の小さな町へゆく途中、山中で潮寂《しおさ》びた村社に立ち寄ったことがある。そのとき「この鎮守で寄食しています」という一見キコリといったふうの小さな老人が出てきて、そういったのである。老人にいわせると大楽源太郎ほどすぐれた思想家は月性《げっしょう》や松陰亡きあとの長州にはいなかった。維新の高官などは世渡り上手だけのことでございます、左様、大楽弘《ひろ》毅《たけ》（源太郎の名）ほどエライ人をあなたはいまここで挙げることができますか、と老人はそのエラサの理由については語らず、ただ庭前の立ち枯れた老木の枝幹《しかん》のみごとさをたたえるごとくひたすらに修辞語をつらね、ときどき痩《や》せ黝《くろ》ずんだ頬《ほお》をふるわせた。神社の山番をしている様子であったが、頸《くび》に大きな数珠《じゅず》をかけているのが奇妙であった。数珠は梅干のたねでできていて、あめ色につやが出ていた。老人は言う。長州藩というものは長門国《ながとのくに》と周防国にわかれております、周防の山河の多くは大田舎と、内海の島々でございます、おなじ長州藩でも周防出身の志士はみな不幸でいい目に遭《あ》っておりませぬ、大楽先生もそうでございます、柱島という小さな島でうまれた赤根武人さんもそうでございましょう。赤根さんは奇兵隊総督までした人ですが大坂へ奔って新選組にとらえられ、一時は藩を滅亡からまもるためにスパイのようなことをしたかもしれませぬ、しかしそれはあくまでも方便でございまして同志たちもよくわかっていたとおもいますが、ところが長州に帰るや高杉晋作がたちまちこれを弾劾して藩命をつくりあげ、赤根さんを河原にひきだして刑殺してしまいました、赤根さんだけじゃありません、世良《せら》修蔵さんもそうでございます、世良さんはほんのわずかな人数の官兵をあたえられて動向さだかならぬ奥州の地へ入り、案の定、仙台人のために寝込みを襲われて殺されました、まるで死ぬためにゆかされたようなものじゃありませんか。……

老人は、この周防の海峡のうまれだという。さきにこのあたりを半島だと筆者はいったが、半島という形容は大げさすぎる。かといって岬というには大きい。シナでいう嘴《し》という地形であろう。その嘴の先端に離れ島が浮かんでいて、いまはそのきわどい瀬戸の流れをフェリー・ボートが縫っている。その海岸の出身で、雨戸を打つ潮風を聴きながら、祖父から維新前後の話をきいたという。祖父は百姓身分ではあったが奇兵隊に参加して遠く越後の戦場まで出かけた。維新成立後、ほとんどの奇兵隊士がそうであったようになんの栄爵もうけず、わずかに米一升をもらい、それを褌《ふんどし》につつんでふたたびその瀬戸に面した周防の漁村に帰って、もとどおりの半農半漁の暮らしをつづけた。馬鹿をみたような、しかし命びろいだけはしたような、とはいえ村の他の漁師や他の百姓どもとはちがうのだというちがいの明瞭《めいりよう》でない優越感だけをたよりに、しかもその優越感を孫である私（老人）にのみ語ってきかせ、話のしめくくりはきまって明治の高官どもへの罵倒《ばとう》であった、「周防の指導者《えらいもの》はみな非業《ひごう》に死んだ、大楽先生さえ生きてくださっておればわしどもはこんなばかなこと（意味不明）をせずにすんだ」といった。このお宮は山持ちでございましてな、私はこの山の山守をしております、といったが、私が問い重ねると、老人はむかし四国のほうの旧制中学の数学教師をしていたと言い、いまでも趣味は数学だといった。山口県の僻隅《へきぐう》には僻隅に似つかわしくない知識好みの人がいるものだが、老人もその一人であるにちがいなく、この傾向は幕末の長州領に濃厚で、わが大楽源太郎などはその尤《ゆう》たる者であったであろう。源太郎は生家の姓が山県、養家が大楽。名はさきにのべたように弘毅ともいうが奥年とも称した。用いた号が多い。よく用いたのが西山であった。ときに好んで「上隅狂者」という号を使った。

大楽源太郎の活動履歴は、幕末の志士としては古参のほうに属する。

安政四（一八五七）年に京にのぼった。

日本史上空前の思想弾圧とされる安政ノ大獄の前年である。このころ、京はすでに論壇が形成され、反幕気分が充満していたが、のちに革命の主動勢力になる長州藩は京では凡々としたただの藩にすぎず、この藩がにわかに革命化するのは吉田松陰が萩城下の東郊で松下村塾をひらいてからのことであり、安政四年の段階で京でいわゆる志士として知られた長州人は大楽源太郎ただひとりであった。

かれは精力的にその方面の名士と交際した。その交友名簿のほとんどが翌年の安政ノ大獄で検挙された者であり、まず筆頭に反幕的詩人の梁川星巌《やながわせいがん》がいることは大楽の履歴のきらびやかな装飾であろう。また詩人というより志士的奔走家の草分けともいうべき梅田雲浜《うんぴん》と親しく、ほかに学者の池内大学、そして頼《らい》山陽の子である頼三樹三郎とも毎夜のように酒を汲《く》みかわし、詩文の交換をし、国事を憂憤すればともに泣き、ついには故山陽が残した「山紫水明処」といわれる三樹三郎の家にころがりこみ、その食客になった。

「この源太郎と申す人は……去年来宅に同寓致し居候《おりそろ》」

と、三樹三郎が江戸の同志に大楽を紹介した紹介状が残っている。

京における安政ノ大獄以前の、いわば初期尊王攘夷運動という段階では多分に文学サロンのにおいが濃く、たとえば若狭小浜《おばま》藩の軽輩の出にすぎなかった梅田雲浜が京にのぼってきてにわかに名士になるのも、詩文の好きな公卿《くげ》や諸大夫《しょだいぶ》、または公卿と交遊の深い梁川星巌などにその卓越した詩才を敬愛されたからであり、若い頼三樹三郎などの存在も亡父の名声によるとはいえ、かれ自身の文学的才能によるところが大きく、さらにかれらの詩壇がやがて思想化し革命化してゆく理由は無数にあげられるとしても、その主なひとつを挙げるとすればこの詩壇のなかに公卿の久我《こが》家の諸大夫で高名な陽明学者だった春日潜庵《かすがせんあん》がいて、それまでごく気分的なものだった尊王賤覇《せんぱ》思想を明快に理論づけ、さらにはかれら詩壇の同人たちを行動へ駆りたてたことが大きい。

大楽源太郎は、詩人であった。

かれの詩は、かれの周防における詩文の師である僧月性にこそ及ばないにしても、かれ自身は長州第一等の詩才であると信じて他を許さず、さらには大楽のその詩才こそ、安政四年に長州から京にのぼってきてまたたくまに京洛の一流の人士と交遊しうるもとになった。むろん詩壇に入るについては師の詩僧月性のひきあわせもあった。しかし大楽自身の詩才が、京の詩文家たちにみとめられなければ、詩文の名家である頼家に寄寓するような懇親は結べなかったにちがいない。大楽の生涯の運命は、この時期の京都詩壇に出入りできたというところから出発するといっていいであろう。

もっとも頼三樹三郎その人は、この時期の大楽の詩や学問を、大楽が自負するほどには高くは評価していなかった。前記江戸の同志（桜任蔵《じんぞう》）にあてた紹介状にも、

「……この人、学文《がくもん》未熟に御座《ござ》候得共《そうらえども》、すこぶる有志の者にて」

と、ある。長州第一等の俊才をもって自任していた大楽には不満かもしれないが、有志――志士であることは激しい表現で認めてくれた。以後、大楽の生涯はこの有志で貫かれる。絵師冷泉為恭を駕籠からひきずり出して殺したのも、この有志としての行動である。

その翌年、安政ノ大獄がおこり、大楽にとってこれら畏敬《いけい》するひとびとのすべてをうばった。この大獄の直前、大楽にとって詩と志の師である僧月性が旅から周防にもどって遠崎の自坊妙円寺に草鞋《わらじ》をぬぐやいなや暴《にわ》かに病を発して死んだ。幕吏による毒殺とうわさされた。京の梁川星巌は逮捕直前に病死し、梅田雲浜、頼三樹三郎らが投獄され、梅田は江戸で幽閉中に病死し、頼は江戸伝馬町で刑殺された。長州人ではただひとり吉田松陰が頼とともに刑殺されたが、大楽は同藩の松陰の死よりも頼三樹三郎の死に衝撃をうけ、郷里周防吉敷郡旦《だん》の自宅で長詩を賦《ふ》した。

一夜の凶風京畿《けいき》を吹き

我が三樹を抜いて東海に飛ばしむ
良材を以て大廈《たいか》を支《ささ》ふべし
如何せん蒼天疾《わざわい》を降すこと威《たけ》し
…………

というもので、全編に激烈の気がみなぎり、頼がいったように「すこぶる有志」であることをおもわせ、しかもかれの詩才は並みなものではなく、頼が「学文未熟」と評価したことは採点がきびしすぎるようにも思える。げんに大楽はその生涯にすぐれた詩をいくつも残した。ただ残された大楽の詩に共通していることは表現が華麗ながら独創性を欠き、詩心が激越でありながら一種抜きがたい卑しさがにおっていることであった。大楽が嫌いぬいた高杉晋作の詩をつらぬいている清雅さがない。

高杉の名が出た。話がそれについて尻取りばなしのようになるが、大楽は松陰の死後、長州藩の革命勢力の首領格のようになった高杉に対して強烈な対抗意識をもち、高杉も大楽をきらって避け、大楽もなるべく同座の機会を避けたが、しかも対面すると小僧、といったぐあいに高杉を見くだし、ほとんど口をきかなかった。

高杉の死後、大楽は別件で窮することがあって、豊後《ぶんご》の姫島という島に潜伏したことがある。そのとき人がきて、長州の高杉という人はやはり並みな人ではございませぬ、この歌を御覧《ごろう》じませ、といって高杉作という歌を大楽に示した。

狩くらし　狼ほゆる岩角に　弓矢たばさみ　月を見るかな

というもので、歌の手だれが型どおりの調べで詠《よ》んだものではなく、巧者ではないにせよ、天才のなにごとかを感ぜしめるような歌であったが、大楽はこれをみるや血相を変え、

「晋作にこんないい歌が詠めるはずはない。あの男ならこの程度のものだ」

といって、たちどころにこの歌を改悪し、歌の中の志を抜き、技巧のみの歌を作ってみせた。大楽が作った晋作ならこの程度という歌は、「漕《こ》ぎくらし　鯨汐《しお》吹く沖合に　舵《かじ》を枕に　月を見るかな」というもので、人は大楽の才気に驚嘆した。大楽はさらに、

「おれの歌はこうだ」

と、懐紙を展《の》べて自慢の作をすらすらと書いた。

「天さかる ひなの荒磯《ありそ》の海士《あま》乙女 時世も知らに 玉藻刈りつつ」

というものであったが、高杉の歌が、歌の上でさえ時流を超脱した特異な形象性をもっているのにひきかえ、大楽のそれは才子が型のごとく歌いあげた模範的な秀歌であるというにすぎなかった。大楽はおそらくそのことがわかっていて、高杉という政治的な、ときには芸術的な存在に対して激しく嫉妬《しっと》をおぼえていたにちがいない。

いったい、大楽とは何者であろう。

明治後、長州人のほとんどが彼を黙殺し、志士というより犯罪者の処遇をした。ただ口の悪いことで知られた勝海舟だけが、どういうわけか、ある日、不意にといった感じで、この男をほめた。

海舟はいう。

「大楽源太郎は善《よ》さそうな男だったよ。あまり度々会った事はなかったが、話せる奴らしかった。長州人には珍しい男さ」

この談話は宇佐彦麿が代表で編集した昭和四年刊の「海舟全集」第十巻「清譚と逸話」に出ており、この項目の短い人物評のなかに出てくる人物は、たとえば佐久間象山、藤田東湖、木戸孝允《たかよし》、島津斉彬《なりあきら》、小栗上野介《こうずけのすけ》、鍋島閑叟《かんそう》、高野長英といった幕末の巨人たちで、なぜここに大楽源太郎程度の低評価な男がとび出してくるのか、よくわからない。

元来海舟は薩摩好きで、長州人がきらいであった。かれの座談でも長州人の名はほとんど出て来ず、かろうじて長州の代表格として木戸孝允などが出てくる。が、評価は低く、木戸について、「松菊《しょうぎく》（木戸の号）かえ。あの男は西郷などに比べると非常に小さい。しかし綿密な男サ。使い所によっては随分使える奴だった。あまり用心しすぎるのでとても大きな事には向かないがのう」となっており、大楽に対する評語のほうがいきいきと弾んでいる。「長州人には珍しい男さ」というのが、長州ぎらいの勝にすれば上乗のほめ言葉であるにちがいない。

海舟は薩《さつ》人と長《ちょう》人の気質を比較して、

「長人は死んだあとあとのことまでも誤解されぬように克明に遺言などを書く。そこへゆくと薩人はしごくアッサリしたもので、斬られ場に直っては一言もいわず、知己《ちき》を千載に待つという風があるのサ。吉田松陰と西郷などがよい対照だよ」

という。勝の長州ぎらいは――短い生涯にぼう大な文字の量を残した――吉田松陰のそういう所まで気に食わないというぐあいになっているらしい。しかし海舟は、

「長州には珍しい男さ」

と大楽に対していうが、この点、海舟には大楽に対して善意の誤解があるに相違ない。大楽は沈黙の人ではなく、松陰その他多くの長州人と同様、争鳴の人であった。大楽の争鳴家である点を海舟は知らなかったに相違なく、海舟が知っているのは、奔走家としての初期の大楽を実見したことと、大楽の最期《さいご》をうわさできいただけのことにちがいない。そのかぎりでは大楽は争鳴家ではなかった。

初期、大楽源太郎が周防の海岸から出てきて京の詩壇に出入りしたことはすでにのべたが、そのころのかれの交遊範囲のなかに幕末の奔走家のなかでの最古参である薩摩の西郷吉之助（隆盛）が入っているのである。西郷も錦小路の藩邸に起居しつつ、この詩壇に出入りしていた。ただそのころの西郷の詩は素人《しろうと》の域を出ず、その時期の大楽と同様、頼三樹三郎がいうごとく「学文未熟」で、とうてい雲浜や星巌に伍することはできず、詩を作るよりもひたすらに志をのべる「有志」であり、有志としてはともに激烈で行動的であった。自然、西郷は大楽と話が合い、ともに稀《まれ》な人物と見、さらには当時志士をまだ輩出していない長州藩にしては「大楽はめずらしい男」と西郷はおもったにちがいなく、のち海舟が西郷と親密になるにつれて海舟の耳に、「長州では大楽でしょう」というふうな西郷の言葉が入ったにちがいない。

いまひとつ、海舟がさほどの縁もない大楽に異常なばかりの好意を抱くのは、「大楽は臆病者《おくびようもの》」という烙印《らくいん》が、多くの長州人によって捺《お》されていたからであろう。晩年の海舟は日本風にいう臆病とか腰抜けとか卑怯《ひきよう》とかいうものに別な解釈をもち、独特の価値観をもっていた。そのわけは海舟自身の体験から出たものであり、かれが江戸城と徳川家を無血で薩長にひきわたしたことについて旧幕臣から罵倒を浴びていたために相違なく、たとえば海舟は「戦国の日本武士というのはじつにいい」とほめあげつつ、「しかしすぐ死ぬ、死ねば事が片づくと思っているのがよくない」という。さらには「一国の外交などはさほどむずかしいものではない。その衝《しよう》にあたる人が素敵な敏腕家であるか、さもなくば無類飛切《むるいとびきり》の臆病者でさえあれば何の事もない話だ」といって、幕府の始末をつけた自分の位置を「無類飛切の臆病者」としてどうやら規定しているらしい。この点、海舟にすれば、

「大楽源太郎もそういうところではないか」

と、やや自己弁護を兼ね、悪罵をうけることの多い人間を、大楽に仮託させていったのではないかともおもわれる。海舟は大楽のあと二宮尊徳に会った好印象を語り、尊徳と大楽源太郎とをひっくるめて語るがごとく、「全体、あんな時勢にはあ

んな人物が沢山出来るものだ。時勢が人を作る例は、おれはたしかにみたよ」といった。

おれはたしかにみたよ、というそのみたことに海舟は自分の全存在をかけた重味をもたせており、たしかに平凡な日常の連続にすぎない歴史というものが、何百年に一度、もしくは一民族の歴史でただ一度しかおこらないかもしれない――たとえば三千世界がことごとく修羅《しゅら》に化するかのような一大変動期――を、海舟は新旧両派の真っ只中で見ることができた唯一の人であった。であるがために、俺がいう歴史観も政治観も、あるいは人物観も他のやつらがほざくそれじゃないよ、いわば無限の重味があるのだ、という海舟一流の啖呵《たんか》が無言のうちに入っている。ところで海舟は時勢が作るあんな人物というのは二宮尊徳の場合ははっきりしていて、「至って正直な人だったよ」という海舟の解説が入っている。しかし大楽源太郎にいたると不明瞭で、ただ「善さそうな男だったよ」というのではどうにも把《とら》えようがない。

文久二年から同三年にかけて、大楽源太郎は京の町家の離れなどを借りていて、それも居所を転々とさせていた。大楽の身辺にはのちに冷泉為恭殺しをともにやったような乾分《こぶん》もしくは取巻きといったふうの連中がたくさんいた。彼等の素姓はほとんどが食い詰めの田舎侍か、それとも百姓の伜《せがれ》で「日本外史」一冊を読んで俄《にわ》か志士になって京にのぼってきたような手合いで、長州の人間はほとんど居ない。

この種の手合いは、普通、つてをもとめて長州藩邸か薩摩藩邸に出入りし、その庇護《ひご》を受け、雄藩の系列に入ったような気分になって志士を気取るのだが、大楽は長州人でありながら、かれら無籍浪士に対し、

「諸君は草莽《そうもう》の人であることを名誉とせよ」

といって、かれらを長州藩邸にやりたがらず、むしろ大楽個人のもとにひきつけておこうとする傾向があった。

この点、わけは複雑である。元来大楽は親分かたぎが薄いながらも師匠になりたがる気分が強く――かといって弟子をかばうという風もないが――さらには海舟がきらうところの多くの長州人がそうであるように、火消し人足のように仲間と徒党を組んで物事をするといったふんいきに大楽は性格としてなじまず、もしそういうぐあいになるとすれば大楽自身が長州過激派の大親分になりたいとするところがあった。

ところが、長州京都藩邸の親分は、藩官僚では周布《すふ》政之助であり、書生派では高

杉晋作であった。

大楽にすれば、その筋目自体が不愉快であり、奇怪であり、極端にいえば不義であると思っていた。

元来、長州書生派の元祖は松陰吉田寅次郎である。この門下から高杉晋作、久坂《くさか》玄瑞《げんずい》以下無数の志士がむらがり出て、すでに松陰亡きあとのこの文久年間にあっては長州藩内における一大政党をなし、その多くは幕末の動乱期に死ぬが、そのうちの残る者はついに明治国家の主勢力になりおおせる。

「あいつらは筏《いかだ》だ」

と、大楽は松下村塾派の仲間意識のつよさを、かれら一本々々は山出しの材木にすぎぬ、蔓《つる》でくくって筏になっていればこそ流れに浮かんでいる、という表現で罵《のの》ったことがあるが、多少は真《しん》をうがっている。しかしこう罵る大楽自身の本音は、この自分こそ亡き吉田松陰のあとがまにすわるべき有資格者であるとひそかに信じているところにあり、「であるのになぜおれを高杉どもはそのように処遇しないか」と口には言いにくい（当人から言いにくいのであろう）感情が、大楽のなかでえたいの知れぬ怨恨《えんこん》になっていた。

元来、長州人は温雅な士風で知られていた。

江戸体制二百数十年のあいだ、長州藩毛利家というのは英雄的な豪邁《ごうまい》さをもった藩主は一人も出ておらず、江戸詰めの吏僚たちは幕閣の機嫌をよく伺い、本心から幕威を畏《おそ》れ、幕府の無理難題には平身低頭して順《したが》うという印象が一般化していた。それが、吉田松陰と大楽源太郎が時勢のなかにまず突出することによって破られた。その松陰が安政ノ大獄で殺された。大楽は藩から自宅謹慎を命ぜられることだけで済んだ。両人は生死を異にしたが、大楽にいわせれば長州における先覚者の名誉は松陰とならんでこの大楽源太郎こそ負うべきだとおもっており、それを長州人たちに暗にわからせるために、

「長州ではやはり月性である。さらには安芸《あき》の人ながら黙霖《もくりん》であり、この両人を知らぬ者の志はどこかあまい」

と、しきりにいった。吉田松陰はこの僧月性によって志を励まされ、さらには安芸の僧黙霖としきりに文通することによってその思想の夾雑物《きょうざつぶつ》をとりのぞいたが、大楽は月性の筆頭門人であり、黙霖にも私淑した。大楽にいわせれば月性と黙霖こそ長州の志を養った人物であり、松陰の門弟などは「黙霖の名さえ知らずに喋々《ちょうちょう》しておるではないか」とあざ笑うのである。

が、高杉らはそういう大楽を嘲笑《ちょうしょう》した。亡師松陰が「わが師である」としていた

唯一の人は佐久間象山だけであったことを高杉らは知っており、松陰は僧月性の門人ではなかった。ただ松陰は月性をはなはだしく尊敬し、「清狂（月性の号）固《もと》より不朽の人物」とまで賞讃していたが、同門であるはずの当の大楽源太郎についてはあれほど人をほめることに情熱的だった松陰が弟子たちに一度もその名を語ったことがなかった。むろん交遊はあった。しかし語らなかった、ということは多弁な松陰を思うときこの沈黙は異常であり、要するに松陰にとって語るだけの価値を大楽に見出さなかったにちがいなく、高杉などはそういう点でも大楽の足もとを見ていた。

大楽の哀れさは、松陰の死後、文久元年十二月、久坂玄瑞の発起にかかる一燈銭申合せに参加していることである。

「一燈銭申合せ」

というのは、松陰の遺志を継ぐという趣旨で、その行事内容はこの「一燈銭申合せ」の同人は毎月六十枚の写本をおこなって松下村塾に持ち寄り、それを売って一朝有事のばあいの費用にあてるというもので、旧門人はことごとく参加した。旧門人でもない山県有朋《やまがたありとも》（当時、小輔、狂介）などはこの「一燈銭申合せ」に名をつらねることによって松下村塾党になり、長州における革命勢力のなかでの地位を得、中間《ちゅうげん》の子という身分ながらのちに奇兵隊軍監になり、高杉でさえ山県に遠慮をするところがあったほどの存在になった。という点で、この「一燈銭申合せ」は政治的には長州における松下村塾党の結成という重大な意味をもっていた。さらにいえばこの結社に入れば松陰の門人ということにもなる。

「おれは寅次郎（松陰）の門人ではないわい」

とことごとに大楽は言いほざきつつも、いわばよろめくようにしてこの結社に入ったのは孤立していることが寂しかったに相違なく、その後の大楽からみても気の迷いといってよかった。ただ、

「玄瑞のやつがすすめるから」

という言いわけはあった。事実、久坂玄瑞は熱心にこの結社に入ることを大楽にすすめた。故松陰の門下では久坂だけが、大楽に好意的であった。ひとつには大楽の生家である山県家――萩城下の平安古《ひやこ》――と久坂の生家が近所で、久坂は年少のころから大楽の俊才であることをきいており、さらには久坂は少年のころに僧月性に会い、大楽の話はあれこれきいていたのである。もっとも僧月性は、

――大楽源太郎を師とせよ。

とはいわず、城外の松本村に吉田寅次郎という者がいる、この者を師とせよ、と

すすめた。そういう縁が大楽とのあいだにあって久坂は大楽に対して他の者のように冷やかでなく、いつも大楽先生とよび、大楽が長州藩邸にやってくると、身分は久坂のほうが上ながら大楽を上座にすえた。久坂にはそういう律義さがあった。

文久三年三月二十二日の朝、大楽は寄寓している木屋町三条の町家の離れで目がさめたが、べつに風邪の気味でもなさそうなのに耳の穴から汚水を流しこまれているように頭が重く、起きあがる気力が湧《わ》かなかった。もともと大楽の悪習は朝寝であった。かれは枕頭《ちんとう》の脇差《わきざし》をとって、そのこじりで障子をあけた。厠《かわや》のそばの柊南天《ひいらぎなんてん》のとげとげしい葉が濡《ぬ》れており、かといって雨でもなく、ただあたりが薄暮のように暗かった。大楽は脇差の鞘《さや》をはらった。かれはこういう天候がにが手でかならず頭痛がし、気持がいらだち、自分でも自分の気持を制御することができなかった。

そこへ使いがきた。高杉からだという。午後、木屋町三条の控え屋敷までご足労ねがいたい、といった。大楽にすれば晋作のやつがわざわざ自分に使いを寄越《よこ》すなど珍事とすべきだが、しかし寝起きの気分がそれだけで晴れた。

「晋作の猿めもおのれの芝居ではどうにもならず、おれという猿まわしをかつぎだすつもりになったのか」

と、使いの男にいった。使いの男にすれば高杉が大楽をかつぎあげねばならぬほどに知恵に窮しているとは思えず、妙な顔をして去った。そのあと大楽は宿の小女を相手に躁《さわ》がしいほどに喋《しゃべ》り、喋りながら餅を食った。大楽には高杉の用件がほぼわかっていた。

「将軍を殺す」

というとほうもない一件であった。

この三月の四日、将軍家茂《いえもち》は老中、若年寄、大番組頭など三千人をひきいて京に入り、天子に拝謁《はいえつ》したのである。家康の開幕以来、将軍たるものが、元来政務に無関係の天子に拝謁して、国事とくに対外問題の訓令を受けるなどという慣例はなく、この一事だけでも政権を担当する幕威がいかに衰えたかを示している。

が、京都は熱狂的な攘夷論者の巣窟《そうくつ》であり、すでに諸外国と通商条約を結んでいる幕府とは相容《あいい》れず、京都側としては天子の権威を背景に将軍に迫り、「即時諸外国と断交し、攘夷を決行せよ」と要求する段取りでいた。過激公卿たちは将軍を京に人質にしてそれを決行させようとした。その過激公卿の背景に長州藩がいた。

幕府側はこれを不利と見、将軍をして早々に江戸へ帰らしめようとした。幕府は将軍帰府の勅許を得べく佐幕派の公卿を説きつつあった。長州側としては将軍を江戸に帰しては何にもならず、ぜひ滞京せしめたい。もし将軍が押して帰府するというなら「途《みち》に要して襲撃しよう」という案が過激な連中のあいだで出ていたのである。

大楽は木屋町三条の控え屋敷まで出むいた。屋敷とはいえ普通の町家を長州藩が借りあげたもので、路地を入った奥に二階家がある。その二階六畳と四畳半の二間《ふたま》にすでに人々が詰めかけていた。二十数人であり、明治まで生き残って大官になった者としては、伊藤俊輔（博文）、品川弥二郎などがいた。

久坂はこのころ京におらず、高杉が一座の指導者格で床柱にもたれていた。大楽は当然高杉を押しのけて自分こそ床柱を背負って坐るべきだとおもったが、部屋は人々で充満して進むこともならず、やむなく階段をのぼりきった踊り場にすわらざるをえなかった。高杉は大楽がやってきた姿をちらりと見たが、しかし声もかけず無視した。大楽は嚇《かっ》となり、

「将軍を殺《や》るのか、殺るなら余人にいちいち相談することもあるまい。おれ一人でもやる」

と叫んでしまった。だけでなく、「相談などは臆病者のすることではないか」とまでいった。

高杉は、柱から背を離して大楽をじっと見た。しばらくだまって見つめていたが、やがて、まだ殺るとはきまっておらぬ、といった。朝廷では将軍の足をひきとめるための勅諚《ちよくじよう》がくだる。将軍がもしその勅諚をふりきって帰東するというなら違勅の罪を鳴らして行列に斬りこもうというのだ、まだ将軍の態度がはっきりせぬ以上、一同の決意だけをいまはたしかめておくのだ、と高杉はこの先輩を諭《さと》すようにいった。

大楽は、窮した。

これを救ったのは、この一座の長州人のなかにまじっていた肥後熊本藩士堤松左衛門であった。

かれは佐幕傾向のつよい肥後藩に愛想をつかし、ほとんど長州に帰化したようにしてつねに高杉らと行動を共にしている。

ところが堤はさきに同藩出身の開明家の横井小楠を暗殺すべく襲撃し、不覚にもとりにがすということがあった。このため藩の嫌疑をうけ国許《くにもと》へ帰れといわれている身であり、となれば京都活動は断念せざるをえず、志を断つよりもいっそこの一挙で死所を得たいとひそかにおもっていた。――堤は、提案した。

「やはりいったんは諫止《かんし》すべきだろう」

と、この死を決意している男が、もっとも穏当なことを言いだしたのである。将軍の輔佐者として一橋慶喜《ひとつばしよしのぶ》がいる。その慶喜を自分は訪問して将軍の帰東を思いとどまってもらうべく進言し、それでもなお容れられなければ襲撃ということにすればよい、というと、長州側のたれかが、

——命ヲ惜シムニヤヤ似タリ。

と、いった。堤は憤然とし、もし中納言（一橋慶喜）に聴き容れられずば自分はその場を去らずに腹を切るつもりだ、といったから、みな騒然となり、逆にそれこそ早まりすぎるのではないかと止めようとしたが、堤はきき入れなかった。

このとき大楽は掌をあげて畳をはげしく打ち、一座をしずまらせ、末座からおもむろに眺めわたして、

「堤の志こそ壮とすべきである」

と、それまで肚《はら》にも湧いていなかったことを激しく述べ、自分も同行する、長州人として堤ひとりをやるわけにはいかない、といった。

この一言によって大楽は大げさにいえば長州におけるおのれというものを浮上させるつもりであった。たしかに大楽はこの瞬間、激徒であるという点で高杉らの水準をはるかに凌駕《りょうが》した。もっとも大楽のこの行動はこの時代では奇矯とはいえず、

海舟のいう「時勢」というものの作用のひとつというべきものであった。しかしながら大楽はよほど昂奮《こうふん》していたらしく、いつのまにか突っ立ってしまっていた。大楽は小男であった。立てば、一同を睥睨《へいげい》することができた。大楽にひきかえ、この行動を提議した肥後人堤松左衛門のほうが黒い菊石《あばた》の顔から血の気をひかせて、じっとおのれの大きな膝《ひざ》をみつめていた。

「——行こう」

と、小男の大楽は大男の堤の肩を抱くようにしてうながした。堤はそれでも膝が硬直したように身動きせず、やがて顔をあげ、

「大楽先生と行をともにするのは望外のしあわせです」

と言い、横にいた長州人堀真五郎、寺島忠三郎らに丁寧に会釈《えしやく》して立ちあがり、大楽にひきたてられるようにして階段を降りて行った。堤がなにをためらっていたかについては、堤の同藩人でその莫逆《ばくぎやく》の友だった宮部鼎蔵《ていぞう》（翌年、池田屋で闘死）が、「堤はあのときひとりでゆきたかったのだ。その理由は大楽君を巻きぞえにしたくなかったことと、堤自身の事情と性格による。しかし大楽君があのように勇んでしまったため断わるのが悪いような気がして、ついにああいうぐあいになった」と語った。

大楽は不運であった。かれの不運はもともとうまれる時期を間違えたことであった。かれは明治中期にでもうまれていれば二流文士にでもなって文筆の上でかれの好む自己顕示を満足させたかもしれないが、かれの生きた時代は政略の才能を必要とし、さらには口舌より行動の時代であり、行動にはかならず生死がつきまとった。

まずいことに、かれらが出かけたあと、

――将軍は滞京することに決定した。

という報が、長州系公卿である三条実美《さねとみ》から河原町藩邸に入ったのである。吉報ではあったが、堤と大楽の壮挙が宙に浮いた。かれらは、慶喜の宿館である東本願寺にむかって進みつつあった。途中、人が追ってきてそのことをつたえ、かれらの行動を中止させた。

すでに灯ともし頃になっており、小さな門があって提灯《ちょうちん》が出ていた。その灯に誘われるようにして二人が門をくぐると、狭い境内の奥に大日如来をまつった辻堂風のお堂がある。ずっとだまりこくっていた堤は、その縁にすわったとき、いきなり羽織をぬいだ。平素多弁な大楽も、このとき堤のもつ異様なふんいきに気圧《けお》され、なかばぼう然としたような表情でその行動をみていた。堤は脇差を抜いた。

堤はまるで細工師が細工をするような手際で、右手の小指のさきを落とした。血が噴き出た。

その血をもって羽織の裏に素早く文字を書いた。

私儀、去十二月、江戸に於いて、御国のため、横井その外奸物を討果し掛け申候段、公儀（註・肥後藩）を顧みず、右の次第、奉恐入候。死後の余罪、猶更《なおさら》奉恐入候。

大空を照りゆく月や知らすらん　君が為にと尽す心を

辞世の歌である。

堤は縁の上に正座していた。大楽のほうを一度も見ず、大楽を無視しきっていた。大楽があっというまもなく堤はその脇差を腹に突きたて、さらにいったん引きぬき、すぐ姿勢を正し、次いで刃を頸動脈《けいどうみゃく》にあて、ぐっとひきこするや、血しぶきのなかに突っ伏せた。その間《かん》、堤は大楽に会釈もせず、介錯《かいしゃく》をしてくれともいわなかった。

大楽こそ声をかけるべきであった。しかし声をかければ大楽も死なねばならない。この両人がその仲間に言いのこした言葉は「慶喜を説く。聴き容れられずばその場を去らずに自害する」ということであった。すでに事態がかわり、慶喜説得の必要がなくなっているため両人はふたたび仲間たちの座に戻ればいいのだが、肥後人堤のモラルと事情からすれば「自害する」という言葉をいったん出した以上、条件が変わろうが変わるまいが自害しなければならない。故松陰はかつて肥後人のそのような面に感嘆したことがあった。松陰はその友人宮部鼎蔵を肥後人の代表的人物とし、「宮部鼎蔵は毅然《きぜん》たる武士なり、僕、常に以て及ばず。其人、懇篤《こんとく》にして剛毅と言うべき人なり」と書いているが、その宮部がもっとも信頼していた堤松左衛門もその範疇《はんちゅう》に入る男であった。

堤がこの死の作業をなすにあたって大楽を終始無視し、介錯さえ頼まなかったのは大楽の人柄を悪推量して軽侮したということではなく、自分が勝手に演ずる死の作業へ、大楽を巻き添えにすることを憚《はばか》ったからに相違なく、堤の質樸《しつぼく》で気の優しい性格から察してそうとしかおもえない。

途方に暮れたのは、大楽源太郎のほうである。

「おれはどうすればいいんだ」

と、もし芝居なら絶叫しなければならない役割として存在したが、この突如大楽を巻きこんだ異常な現場は舞台ではなく、大楽の好む詩の世界でもなく、三月の生温かい夕靄《ゆうもや》のなかで町家の灯がまたたき、表通りから通行人の話し声がしきりにきこえてくるしらじらとした現実世界であった。堤はおのれの想念でつくりあげた劇の中で劇的に死んだからいいにしても、大楽はそのつもりではなく、いつものように下宿にもどるつもりでいた。いまあらためて自分自身を殺そうということならば、堤の構築した想念の中の劇へ自分自身を入れてゆかねばならず、そのことは大楽が堤にならないかぎり、もしくは魔術師が大楽の肩を杖でたたいてそのあたりの風景を劇的なものに一変しないかぎり、あらためて縁にのぼり、縁にすわり、脇差をぬいて切腹するなどという気はとうていおこらない。

むろん、そういう気をおこすことの可能な気質の人物は居る。堤の自殺をみて一瞬自分も激烈な詩情をおこし、しかも一瞬に自己を変容せしめて現実を消し、みずからの想念の中に入りこんで堤と相並び、遅ればせながら腹を――意味もないながら――切ってしまうという人物も存在するし、とくにこの幕末という時勢は、海舟がたしかに見たよ、というごとくその種の気質群がむれをなして風雲の中を駈けまわった時代であり、その種の人物でなければひとかどの志士とはいわれなかった。大楽は長州における先唱者であり、激情的詩人であり、詩才にもめぐまれていたが、不幸にしておのれの現実とおのれの詩情を一つにすることができる詩的行動家ではなかった。かれは志士などにはなるべきではなかったであろう。

大楽は、現場から遁走《とんそう》してしまったのである。

よほど無我夢中だったことには、堤の死体に羽織のひとつも掛けてやることもせず、それどころか、たしかに絶命したかどうかを見とどけてやることもしなかったことである。

当時の論理からいえば、当然大楽も死ぬべきであった。そのことは大楽も遁《に》げながら気づいたにちがいない。その証拠に、身を恥じて京都市中を転々と潜居を移し、数日同志の目をのがれた。ところが仲間の長州人たちが、肥後人に合わせる顔がないということで騒ぎはじめ、市中を探索してついに大楽をさがしだした。

大楽はひったてられるようにして河原町藩邸に連れこまれ、長州の面《つら》よごしである、自決せよ、と平素大楽が「小僧ども」とよんでいる年若い連中から迫られた。

大楽はどういうわけか反《そ》っ歯《ぱ》を一枚だけ露出させ、表情を変えず、しかも抗弁もせず、ただ顔色を壁土のようにして悪罵のやむのを待っていた。悪罵を放っている連中はことごとく松下村塾系の人間たちであった。大楽が声を張りあげて言いたかったのは、弁解ではなかった。

——汝《うぬ》らは、亡師の友人に対する礼を知らぬのか。

ということであったが、さすがにその言い返しがこの際場ちがいであることは大楽にもわかっていた。

そこへ高杉が入ってきて大楽がそこにいることに気づくと、同席するのもいやだというふうにいったん廊下へ出たが、すぐもどってきて、

「国許《くに》へ帰りな」

とだけ言い、出て行った。それが、裁決になった。一同大楽を解き放った。

その夜、大楽は消えるようにして京を去った。

周防の旦にもどった。ほどなくかれは郷里を出て京や江戸に出没したが、長州藩における存在はひどく褪《あ》せたものになっていた。

もっとも冷泉為恭殺しはそのあとのことで、かれとしてはこの無益な殺生をすることによって大日堂での汚名を返上しようとしたのであろう。かれはその後、幕末において長州藩がやったあらゆる騒乱につねに参加していた。ただしめだたなかった。元治元（一八六四）年夏の蛤御門《はまぐりごもん》ノ変にも陣中にいたが前線には出ず、山崎本営の書記をつとめていた。この乱で久坂玄瑞や入江九一といった松下村塾系のひとびとは前線に出、敗戦の責任をとるようにして戦死した。それにひきかえ、大楽はこの陣中において謎《なぞ》のような事故をやった。斥候《せっこう》にゆけと命ぜられて行方不明にな

り、三日して大坂からもどってきた。敵は京都にいる。大坂は後方である。斥候が迷いこむべき方角ではなく、敵前逃亡というにちかかった。大楽の言いわけは、「乗っていた馬にふりおとされ、その馬が大坂方面へ走ったためそれを追っかけていてつい手間どった」というのであったが、三日も逃げ馬を追っかけて行方不明になったという大楽の行動理由がたれにも理解できず、しかし大楽が長州勤王の先唱者であるという遠慮から、結局は三日間謹慎すべしという軽処分で済まされた。

ただこの陣中、かれはひとびとを感嘆せしめたほどの詩を幾編かつくっている。

「山崎陣営にて」

という、敵前逃亡の容疑者とはとうてい思われないほどの耿々《こうこう》たる至情をうたいあげたもので、そのあたりが大楽の可笑《おか》しさであろう。

忍び看《み》る　豺狼《さいろう》　九閽《きゅうこん》を擁するを
上書して我が公の冤《むじつ》なるを号泣す
三軍の進退は　君問ふをやめよ
生死ただ天子の尊きを知るのみ

その後、第一次幕長戦争のときには周防の旦や宮市《みやいち》（いまの防府市）付近の農民などをあつめて忠憤隊などを組織し、実際に戦闘がおこなわれた第二次幕長戦争のときには従軍せず、ひきこもって家塾をひらいていた。

この幕長戦争のさわぎのとき、大楽はほとんど宮市にいた。宮市は三田尻《みたじり》港をひかえて商家が多く、さらに防府天満宮の門前町であるために料亭なども多かった。なかでも宮市前小路にある河内屋という料亭が宮市きっての老舗《しにせ》で、大楽はこの店の奥を巣のようにして巣食っているうちに河内屋の娘りちとできた。この消息については、大楽には気の毒だが、ひどく卑猥《ひわい》な光景が想像される。人柄からみて尋常に出来たとは思えず、はじめは手籠《てごめ》にし、そのあとひらきなおって亭主をよび、亭主がやむなく承知すると大楽は詩人にもどり、膝をうって万葉調の歌の一首も詠みあげたであろう。ほどなく双児《ふたご》の女児がうまれた。

河内屋の財産《しんしょう》にとって大きな災難であったろうと想像できるのは、りちを得て以来、それまで素寒貧《すかんぴん》だったこの男が、台道村の上《あが》り熊という丘陵を背負ったところに丘陵一つと地所一反《いったん》を買い、そこに階下だけで百畳という二階だての建物をたてたのである。この百畳を塾にした。

二階にはりちとその子を住まわせた。

自分は背後の丘陵をわずかに整地して茶室をたて、夜はそこで寝た。刺客に対する備えであった。いざ刺客が襲ってきた場合、いちはやく茶室の裏から山伝いに逃げてしまうという用心で、用心のことはともかく、たかが陪臣身分の微禄者でこれだけの建造物をたてるということは奇術のようなもので、品わるく推量すればこういう計画を秘めつつ宮市の河内屋に入りびたっていたということがいえるかもしれない。

「西山書屋《せいざんしよおく》」

という塾名をつけた。

大楽は、当然なことだがかれのいう寅次郎（吉田松陰）がかつて萩の郊外でやった松下村塾と張りあうつもりであった。大楽ほどあの塾の凄味《すごみ》を身をもって知らされた者はなかった。松下村塾の門弟たちが松陰の死後、長州藩内で一大政党化するという活景を大楽は海舟のいう見たという意味でたしかに見た。さらには大楽はその連中に揉《も》まれ、はじき出され、ついに周防の片田舎に戻らざるをえなくなったとき、あれが政治的にいかに有効なものであるかを知った。「寅次郎がやったことが自分にできぬことはあるまい」と大楽は遅まきながら萩郊外のそれに似たものを周防の松林のなかに作り、しかも松下村塾が物置小屋程度の建物だったにすぎないのに比し、建物の規模からして防長第一等という一大私塾をここにつくりあげたのである。

私塾は大繁昌した。

教科内容は、松下村塾の場合、悪王退治の革命書ともいうべき「孟子」が中心であったが、西山書屋の場合はすでに悪王（幕府）が衰微しきっているということもあって、国粋的な攘夷論をのみ講義した。以下、かれが教えた書目を挙げるが、ならべてみると「論語」以外にシナの書はなく、すべて日本人が書いた漢文書のみであり、しかもそれらは国粋論の書のみであり、このような、いわば世界を拒絶する思想で成立した書物のみを教科内容にした塾というのは、松下村塾をもふくめて江戸期を通じ一例もなく、その意味では大楽は日本右翼塾の開祖ともいうべきであろう。以下、書目をあげる。論語、弘道館記述義、日本外史素読《そどく》、靖献遺言《せいけんいげん》、新論、ほかに他の塾でもやっているように詩文の実作指導があるが、和歌をふくめたところに大楽の塾の新味があった。しかも和歌のことを大楽は「国詩」と称していた。

この塾の繁昌ぶりは異常なほどであった。防長二州の人々にとってもすでに萩の松下村塾のその後のめざましさを知っており、松陰もしくは大楽のような人物の門下に入ることの実利的な効果を考えて入ってくる者も多かった。一時期に人数百五十人をかぞえたというから、江戸、京、大坂、それに九州日田《ひた》以外にこれほど多い人数を擁した塾が出現したことがない。入塾者のなかには気質的な異常人も多かった。ついでながら長州の警世的知識人は伝統として狂ということばをこのみ、松陰もその弟子の高杉晋作もしばしば哲学的意味での狂ということばをつかい、別の系列では僧月性もそうであったし、大楽も好んで上隅狂者という号をつかったが、しかしこのような哲学的狂者のもとに共鳴作用のようにして寄り添ってくるのが気質的狂者であった。その種類の人間はその頭脳に激烈な政治的電流を流しこまれることを渇求し、灯を慕う羽虫のように大楽のもとに寄ってきた。大楽はそれらの頭脳のなかに撒《ま》きちらすようにして電流を流しこんだ。その何人かは、当然ながら暗殺者になった。神代直人《こうじろなおと》、団伸二郎、大田瑞太郎などがその代表的な男たちであった。

ともあれ、西山書屋は繁昌した。大楽源太郎程度の男にとってはこれは望外な成功というべく、もしこのまま山林のなかの塾舎で生涯を送れば、一種強烈な不平を秘めつつ政界を睥睨する隠者として畏れられる存在になったにちがいない。

が、そうはいかなかった。

西山書屋というかれの塾は慶応二（一八六六）年夏にひらかれたから、継続していたのはわずか三年でしかない。明治二年の晩秋にはまるきり空家になってしまっていた。大楽が河内屋りちに生ませたふたごの女児は、その母とともに旦にいる大楽の父信七郎のもとにひきとられた。大楽が逃亡してしまったからである。

大楽は、長州から逃げた。

「こんなばかなことがあるか」

と、大楽は逃げ出すとき実弟の山県源吾にぼやいたが、しかし逃げざるをえなかった。明治国家と長州藩をあげて大楽は追捕《ついぶ》される身になったのである。

かれはこの明治二年において二つの重大犯罪の容疑者になった。

この六月、版籍奉還がおこなわれ、兵制もかわり、ぼう大な兵力を誇った長州革命軍はわずか四個大隊を残して解散を命ぜられることになった。当然、不平がおこった。

かれら長州で「諸隊」とよばれる革命軍の兵士たちは、幕末・維新の戦雲をくぐり、関東、北越、さらに東北から遠く北海道まで転戦して多くの戦死者を出し、ようやく故郷に凱旋《がいせん》したところへ、

——汝らはすでに不要になった。

ということで解散を命ぜられることになったのである。東京政府は諸藩混淆《こんこう》の雑軍ともいうべき革命軍を解散して西洋式の国防軍に切りかえようとしていた。

その推進者が、兵部大輔《ひょうぶだゆう》大村益次郎であった。

「あの六反百姓めが」

と、大楽はこの間、西山書屋で門人をあつめては毎日のように大村を痛罵していた。

大村と大楽はおなじ周防人であった。それどころか大楽の村の隣村である鋳銭司村の出身である。代々百姓身分の医者で、その家は屋号のように良庵とか亮庵とかよばれていたが、たまたま大村（当時は村田蔵六）が大坂の緒方洪庵《おがたこうあん》塾で蘭学をおさめ、江戸で一時幕府教授もつとめたほどの洋学者になったために長州藩がかれをよびもどして士分にした。大村ははじめは医者であり中途で翻訳者になったが、それ以上の天稟《てんぴん》を発揮したのは軍略家としてであった。幕長戦争の戦略はことごとくかれがたてて孤藩よく天下の大軍をしりぞけ、戊辰《ぼしん》戦争にあっては江戸城に駐在して東日本一帯にひろがった多方面戦争の作戦を一手にひきうけてわずか一年で革命戦を仕上げるという放れわざをやってのけ、そのあと兵部大輔になって兵制改革に着手した。

「――あいつが」

という驚きと軽蔑《けいべつ》が大楽のからだじゅうにうずまき、大村のことを思うと腹立ちやら何やらで居ても立ってもいられぬ気持になった。大村は松下村塾系でもなければ、幕末に志士活動をしたわけでもなく、さらには萩の門閥武士でもない。忽然《こつねん》と時勢のなかに出現し、いまや周防の片田舎からみればとほうもない巨人になって東京権力の代表者であるがごとく日に日にその巨容を大きくしている。大楽の尺度をもってすれば大村の栄達ばかりは理解できなかった。

理解どころか、栄達すべからざる人間であった。自分の隣村の百姓ではないか。大楽は長州志士の最古参者として安政ノ大獄以前から幾たびか死線をくぐってきた。その大楽からみれば大村などは顔さえ見たこともないほどの存在であり、その一事だけでも生かしてはおけなかった。

大楽の鬱念《うつねん》は、それだけではない。

大村が東京にあって兵制改革について独裁権をふるい、戊辰戦争の戦士たちに論功行賞もせぬばかりか、これを解散せしめて路頭に迷わせようとし、さらには西洋式の国防軍を建設しようとしていることである。西洋の軍帽をかぶらせ、西洋靴をはかせるという。大楽は、

「夷人のまねではないか。あれだけ夷狄攘《いてき》つべしと無数の志士たちが叫び、そのために屍を溝壑《こうがく》に曝《さら》し、ついに夷狄と結ぶ幕府を倒しえたというのに、その倒した新政府が夷狄そのものになるとはどういうわけか」

と言い、むしろ倒すべきは大村であり、新政権ではないか、と塾生たちに激しく説いた。かつての吉田松陰は西洋銃陣の必要を説き、さらには世界を見ようとして下田で渡海を企てて国禁に触れ、さらには自由《フレーヘードル》の思想にまで至ろうとしたことを思えば、大楽の西山書屋はごく素朴な土俗攘夷主義とでもいうべきものであった。それだけに電流としては強烈であったかもしれず、ただちに大村を殺すべく神代直人らが東へゆき、九月四日、京の木屋町の宿に大村を襲ってこれを斬り、やがて死にいたらしめた。

つづいて解散に反対する長州の旧革命軍は藩都の山口や藩の軍港の三田尻などを占領し、統率者がいないため大楽を首領に仰ごうとした。しかしほどなく藩の常備軍（四個大隊）が陣容をたてなおし、また大坂から政府軍がこの鎮圧にやってくるというので、大楽は首領になることをことわった。もっともかれの塾生は反乱側に多数ついた。

やがて反乱軍が鎮圧され、長州の秩序が回復すると、政府は大楽をこの反乱の有力な煽動者と見、さらには大村殺しの教唆者《きょうさ》であるという疑いをも濃厚にした。藩政府は三月五日、大楽に対し、山口まで出頭せよ、と命じた。いきなり逮捕をしなかったのは大楽の旧功に対する礼遇のつもりであった。しかし出頭すればよくて切腹、わるくゆけば斬首《ざんしゅ》であろう。

大楽は、脱走した。

漁船をやとって、姫島へ渡った。

姫島はいまは大分県に属し、国東《くにさき》半島の沖合にうかび、いくつかの漁港をもち、大楽が潜伏したころでも人家が四百戸もあるという島であった。島の庄屋の古庄《ふるしょう》虎二は義俠心《ぎきょうしん》に富んでいることで幕末の勤王家のあいだに高名で、かつて何人もの勤王家をかくまった。古庄が大楽をこの島内にかくまったのは、孤島の暮らしのために世間にうとく、勤王倒幕の世の中がまだつづいているという錯覚が、わずかながらもあったのかもしれない。大楽はこの孤島で三カ月も潜伏した。

かれにすればこの島を出るにも出ようがなかった。出れば捕縛されて刑殺されるだけのことであり、もしこの死からまぬがれようとするなら、刑殺する側――国家――を倒す以外になかった。その国家は、かれを嘲笑し冷遇した（とかれは思っている）松下村塾系の長州人がにぎっている。

大楽は孤独な長州人であった。

ただ三人だけ味方がいた。郷里を脱出するときに同行した実弟の山県源吾と、門弟である二人の脱隊兵（渡辺寿太郎・小野精太郎）のみであり、この三人をひきいて日本帝国を討伐するというのはほぼたれがみても不可能にちかかったが、しかし大楽はなおその願望をあきらめきれなかったらしく、

「回天軍」

と大きな布に墨書して軍旗をつくった。その軍旗はいまも姫島の古庄家に保存されており、この旗の突拍子《とっぴょうし》もない大きさが、かえって大楽の窮状と悲痛さを表現していて痛ましくもある。

大楽は九州に希望を託した。

九州は南の薩摩藩と小藩の大村藩ぐらいが新国家樹立の革命戦をたたかい、長州とともに東京政権をつくったが、他の藩は佐幕もしくは日和見《ひよりみ》のために遅れ、さらに新政府が洋化主義をとろうとしていることで旧幕の長州におけるような攘夷気分がいまあらためて横溢《おういつ》し、しかもそれがまだ政治的方向をつかめず、諸藩とも途方に暮れているという現状だった。いまもし大楽が九州を遊説《ゆうぜい》してこの気分に方向を

あたえてやれば、九州諸藩の多くが反政府行動に起《た》ちあがるかもしれなかった。
大楽は暑いころに島を脱出した。
九州に上陸し、各地を転々とした。この転々のころの詩があり、詩だけをみれば
いかにも英雄的心境というべきものであった。

暮雨　岡城《おかじよう》暗くして開かず
乱雲の堆《たかま》る裡《ところ》　風雷あり
間関に勤王の士を訪はんとすれば
千山万岳を踏破して来《きた》る

「勤王と回天運動」
というのが、かれの触れ込みであった。反政府活動といえば人がおびえ、ひるがえって勤王運動といえば勤王回天の歴史に遅れをとった九州人たちを、遅ればせながらも昂奮させるかもしれない。大楽が潜行中に得た知恵であった。このようにさえ唱えて歩くかぎり、たとえかれの壮挙に人が加わらなくても、せめてかれの志を憐《あわ》れみ、かれをかくまい、宿飯のめぐみをあたえてくれるかもしれない。大楽の衣

服は風雨と旅塵《りょじん》によごれ、ほとんど乞食同然になった。

このように豊後、豊前、筑前と彷徨《ほうこう》している大楽源太郎という男に対し、大きな利用価値を見出した大藩がある。

久留米藩であった。

理由があった。全国の大藩のほとんどがそうだったが、諸藩の思いもかけぬ時流の動きのなかで薩長がにわかに天子を擁して新政権を樹立したとき、大いに狼狽《ろうばい》した。藩内に勤王運動の実績のあった者がいればみなこれを登用し、中央へ送りこんで藩の立場を有利にしようとした。たいていの藩はそれらの連中を政治犯として自由をうばっていたが、いっせいに解き放って重用した。久留米藩だけが、いなかった。かつては領内の神官で真木和泉《いずみ》という者がいたが、結局はこの佐幕藩を脱走して長州へゆき、長州藩の客分になって蛤御門ノ変に参加し、敗走後、山崎の天王山で切腹した。あと、その種の運動家のたねが絶え、わずかに軽輩出身の古松《ふるまつ》簡二という者がいる程度であった。古松は維新と同時に士分にとりたてられ、藩学教授という思想的指導者になった。が、古松ではいわば往年の奔走家のなかでは雑兵《ぞうひょう》程度にすぎず、この藩はその点の心もとなさであせっていた。

「大楽を招《よ》ぼう」

と、この藩は正気で考えたのである。

考えるだけの条件が十分すぎるほどあった。この佐幕藩は、降って湧いた維新という事態に即応するため、諸事長州藩のまねをし、奇兵隊式の庶民軍までつくり、名も「応変隊」と名づけていたのである。隊士たちはにわか勤王になり、大小まで奇兵隊にまねて朱鞘をこのんだ。ところが本家の長州奇兵隊がすでに解散されてしまっているこんにち、解散まで模倣すべきかどうかに迷っている最中であった。そこへ大楽源太郎という革命の本場の、しかも最古参の志士あがりの男がやってきたのである。すべて古松簡二が手びきをした。

藩の重役である小河真文《おごうまふみ》、水野正名の両人はさっそく大楽を藩の指導者とし、あわよくばかれを久留米藩で抱えて東京政権との交渉役にさせようとした。久留米藩は、大楽の長州および新政府に対する立場をよく知らなかった。

大楽は、厚遇された。

かれはおそらくその生涯で、久留米における数カ月ほど手厚く遇されたことはなかったであろう。久留米藩知事（旧藩主）有馬頼咸《よりしげ》は大楽を引見し、「いろいろ教えをうけたい」とまでいった。まさにかれこそ久留米藩の吉田松陰の座につき、高杉晋作の行動をおこなう人物になる時であった。ただ藩は大楽の希望によって居所だけは秘密にし、城外のあちこちにかくまったが、重職たちがかれをたずねるときは敷居を越えずに拝跪《はいき》し、

「先生」

と、よびうやまい、かれが説諭することどもを、いちいち拝礼しつつうけたまわった。藩の若い俊才たちもかれの宿をあらそって訪ね、門人になった。

が、こういう幸運も、ながくは続かなかった。

——あの男は、おかしいのではあるまいか。

と、重役たちは疑いはじめたのである。大楽という男が、長州藩にとっては脱隊騒動の煽動者であること、新政府にとっては大村兵部大輔殺しの教唆人であることが、久留米藩重役にもわかってきた。利用するどころではなかった。大楽を置いておくこと自体、長州と新政府への反逆になり、新国家そのものから久留米藩は討伐されるおそれがある。

「殺すべし」

という案は、ひそかに出ていたらしい。

そのうち、長州藩（この時期の正称は山口藩）から藩吏が久留米にきて小河、水

野などの諸重役に会い、大楽源太郎がきているなら当方にひきわたされたい、と交渉した。

久留米ではすでに内々の打合せができていた。存ぜぬ、左様な者は立ちまわってはおりませぬ、という返答であった。この返答は大楽を匿《かくま》ってやるという情義から出たものではなく、大楽のような新国家の大罪人をひき入れ、数カ月間藩をあげて厚遇したということが露《あら》われればどのような報復を新権力からうけるかわからない。そのことを久留米藩重役たちは怖《おそ》れ、できれば頰《ほ》っかぶりで済ましてしまおうとした。

ところがすでに密偵の探索で事実は露われてしまっていた。明治四年二月十四日、新政府はわざわざ四条隆謌《たかうた》に兵をあたえ、巡察使として日田に差遣し、久留米藩に圧迫を加えた。

この間、大楽潜伏ということにともない、久留米藩内に名状しがたい動揺があり、多様な事件が続発したが、そのことはいちいち触れない。

要するに藩内の勤王家や大楽を師とすることによってにわかに勤王家になった連中のうち十数人があつまり、密議して、

「御家には代えられない」

という奇妙な論理に達したのである。幕末における勤王はつねに藩を越える思想であったが、久留米藩ではそのようにはならず、明治四年になっても封建体制がつづくものと思っていたのであろう。

大楽はつねに弟源吾ら三人と一緒にいた。しかし刺客団は万一の討ち損じをおそれ、かれらが別々になる機会を窺《うかが》った。大楽だけでなく、かれに従う三人をぜんぶ密殺せねばあとに生証《いき》拠が残る。刺客は大鳥居菅吉、吉田足穂《たるほ》ら十三人であった。かれらは綿密に計画をたて、運営をした。幕末・維新において久留米藩が独自にやった最大の歴史的事業はこの暗殺であったであろう。

大楽は三月十四日、刺客の一人の太田茂に誘われ、原古賀という在所の同人の屋敷にひとりで出かけた。夜になってかれが同志と信じている松村雄之進と柳瀬三郎――じつは刺客――が旅装してやってきて、「いよいよ先生を棟梁《とうりよう》にして決起することに致しました、藩内の情勢を整えるまでしばらく藩外で待たれたい、その場所までわれらが御同道申しあげます」といって大楽をそとへ連れだした。

この夜、雨がはげしく、蓑笠《みのかさ》姿の者もいた。大楽も傘を一本太田茂の家で借りた。途中、雨がはげしくなった。

「どうも気分がわるい。あすではいけんか」

と、大楽が、筑後川の土堤《どて》みちを歩かされつつ、ときどき足をとめてはまるで哀願するような声調子でいったというから、すでに悪い予感があったのかもしれない。

道は暗くさびしかった。対岸は佐賀藩領の野であったが、闇《やみ》のために見えない。土堤をゆき、ようやく高野ノ浜という渡し場まできた。わずかな村があり、八幡の祠《ほこら》の燈明が格子戸《こうしど》をあかるくしている。河原の砂地に叢《くさむら》がいくつかあって、それらのかげに川島澄之助と吉田足穂が待ち伏せていた。

大楽は傘をさしたまま土堤を降りた。つづいて降りる姿勢をとった太田が、背後から大きくふりかぶって大楽の傘を斬り、さらに右肩を斬った。あとは惨殺にひとしかった。五人が寄ってたかって、地にころがる大楽を所かまわず斬り、やがてとどめを刺し、首をあげた。

胴は、川島澄之助が用意していた鍬《くわ》をもって河原の砂を掘り、これをうずめた。

そのころ実弟源吾らはそれぞれの場所で別組の刺客団によって斬殺された。

私は鋳銭司村をすぎ、やがて大楽が私塾をひらいていた付近を遠望しつつ、大楽の在所の鎮守である繁枝《しげし》八幡宮の境内に入った。境内に石碑があり、この石碑が山口県における大楽についての唯一の記念碑であった。この碑は、伯爵陸軍大将寺内正毅という、日露戦争当時の陸軍大臣がたてた。寺内は大楽の門人で、生涯大楽こそ自分にとって吉田松陰であると信じ、毎月、命日にはみずから祭壇をつくって拝んでいた人物である。

「大楽源太郎は善さそうな男だったよ」

という勝海舟の評語は、ここまで大楽のことを考えつづけてきても、なおよくわからない。ただ大楽もその生存当時見たであろうこの鎮守の八幡の社殿がひどく姿のいい藁葺《わらぶき》の屋根をかぶっていて、この境内で大楽の碑文を見あげるかぎり、気分のわるいものではなかった。

小室某覚書

このところ書斎で妙に気になっている人物がいる。

小室信夫

という名なのである。こむろ・しのぶとよむらしいということは、気になりはじめてからよほど経《た》ってから知った。しかし、単にのぶおというのかもしれない。

明治六年十月、かねて征韓論を主張していた参議西郷隆盛は、大久保利通《としみち》らの内治主義者にやぶれ、辞表を提出し、下野《げや》した。同時に他の四人の参議も大久保に不満をいだいて連袂《れんべい》辞職した。土佐の板垣退助、肥前の副島《そえじま》種臣、土佐の後藤象二郎、肥前の江藤新平らである。この四人は、ほどなく愛国公党をつくった。日本における政党の最初のものであり、その主張するところは議会開設であり、その思想はまだ未成熟ながらも自由民権主義という範疇《はんちゅう》に入れてもいい。板垣が、その主唱者であった。しかしこれから運動をおこそうとする板垣ですら、ヨーロッパにおける議会制度なり政党なりがどのようなぐあいになっているのか、よくわからなかった。

かれは、後藤象二郎に相談した。後藤は、

「小室信夫という男がいる」

というのである。小室信夫は、そういうところに名前が出てくる。資料は、「自由党史」である。しかし小室が何者なのかはわからない。

後藤のいうところでは、小室はヨーロッパを一巡し、とくに英国に滞留して十分に観察し、最近帰朝したばかりだという。

あとになってこの稿の筆者にわかったことだが、小室は政府の金で留学したのではなく、旧阿波藩主蜂須賀《はちすか》茂韶《もちあき》の外遊に随行して行ったものであった。官費留学者でないというところに、小室信夫の立場の自由さがあり、後藤としてもいまから在野運動をおこそうとする板垣のよき助言者になりうるとおもったのであろう。

板垣はいそぎ小室をよんだ。小室は小柄な、口の大きな男で（筆者の手もとに写真が一葉ある)、大きなふろしき包みをもってやってきた。それを板垣の前でひらき、なかから数冊の洋書をとりだし、それを板垣にむかってひらいたが、板垣にはむろんその最初の一行も読めなかった。小室は、説明した。まず人民には天賦の人権というものがあり、それが議会制度の基礎思想になっているということを説いた。小室信夫という名は、そういう場合に出てくるのである。

板垣は、かならずしもこの小室から多くをきいたのではなかったであろう。福沢諭吉や福地桜痴《おうち》といった旧幕時代以来の西洋知識たちの本宗《ほんそう》ともいうべきひとたちからも多くをきいたであろう。とにかく小室と会って二カ月後に、板垣は他の同志とともに愛国公党を結成し、その趣意書を天下に発表している。

天のこの民を生ずるや、これに附与するに一定動かすべからざるの道義権理をもつてす。この道義権理なるものは、天のひとしくもつて人民に賜ふところのものにして、人力をもつて移奪するを得ざるものなり。

からその趣意書――本誓――ははじまる。道義権理というのは right の訳語で、この語のつくり手は旧幕府時代における福沢諭吉であり、やがて人権・権利ということばとして定着してゆく。なににしてもこの愛国公党本誓がこの国における最初の、天賦人権説による政治宣言というべきものであったであろう。しかしそれを為《な》されるについての大きな貢献者として小室信夫があったとはおもわれない。そのことは板垣のそのころの周囲のうごきや事情からも推測できることであり、小室は単に新帰朝者としてのその見聞の提供者であったにすぎなさそうであり、また小室自身にそれほど烈々とした自由民権への情熱があったともおもえない。しかしとにかくも明治七年一月十二日の夜、これについては同志たちが副島種臣邸にあつまって愛国公党本誓に署名式をおこなった。その署名者は、板垣、副島、後藤、江藤、由《ゆ》利《り》公正という政府のかつての要人たちであり、それに加えて数人の知名度のひくい者の名がつらねられている。小室信夫もそのひとりである。その小室の署名には、

「名東県貫属士族」

という族種がついている。「名東県」とは徳島県のことであり、かつての阿波徳島藩のことはこの時期、ほんの一時期ながらもそのようによばれていた。要するに、小室信夫は旧徳島藩士である。

それほどに、いわば自由民権運動史からみれば最初の唱道者のなかに名をつらねるという栄光をもちながら、明治十年以後、小室信夫の名はひどく影がうすく、そ

ういう畑の資料からほとんど消えたも同然の名前になってゆく。
もっとも、なぜその存在が衰弱してゆくかは、さほど問題ではなさそうである。なぜならば、小室はもともとなりゆきでこの渦のなかにまきこまれたのであろう。しかしながらもともとそういう民間政治運動に興味がなかったのであろう。そう判断できるだけの資料が他にある。かれの名は、そういう時期とかさなりあいつつも他の分野の資料に散見しはじめている。実業界であった。かれはそれへ転身した。大阪築港や小倉製糸の設立の資料のなかにもかれの名前があり、奥羽鉄道、六十九銀行、北海道製麻、東京製薬、京都鉄道などの設立に奔走し、さらには政府に工作して官有船十三隻のはらいさげを受け、三井の応援を得つつ共同運輸会社をつくりあげ、その会社がついには日本郵船へと発展してゆく過程において小室信夫の名が数多く出てくる。晩年、多額納税者として貴族院議員に勅選された。筆者が手もとにもっているかれの肖像写真は、金モールのついた貴族院議員の礼服をよそおったものであり、ふちなしの近眼鏡をかけ、白い口ひげをたくわえている。

小室信夫についてはその程度の知識しか筆者になかったが、その後、意外なことに気づいた。小室の名は、旧幕時代、利喜蔵《りきぞう》といったということである。

――小室利喜蔵とは、木像梟首《きょうしゅ》事件のあの利喜蔵ではないか。
ということであった。

　文久三（一八六三）年二月二十三日のことである。

　この日、三条大橋の下の河原に、木像の首三つを獄門台にのせて梟《さら》してあるのを市中の者がみつけ、やがてさわぎになった。首は、足利将軍三代の木像の首である。尊氏《たかうじ》、義詮《よしあきら》、義満で、いずれも足利家の菩提《ぼだい》寺である等持院に安置されているものであり、いわゆる尊攘《そんじょう》志士が押しこんでその首を切りとったものに相違なかった。

　捨て札が、橋畔の制札場の南にかかげられている。

　この者の悪逆は、すでに先哲の説くところであり、いまさら言うに及ばない。そもそも皇国の大道は忠義の二字であり、これは神代以来の御習風である。しかしながら賊魁《ぞくかい》源頼朝世に出《い》でて朝廷をなやまし奉《たてまつ》り、不臣の手はじめをなし、ついで北条、足利にいたってその罪悪じつに天地に容《い》るべからず、ここにこの巨賊の大罪を罰せんがためにやつばらの影像を取出し、首刎《は》ねてこれを梟首し、いささか旧来の蓄憤を散ずるものである。

というのがその捨て札の要旨である。下手人は浮浪であろう。浮浪とは、諸国から京に流入しているいわゆる志士に対し、幕府側がそのように称した公用のことばであった。

この文久三年のはじめという時期は、幕威が京においてもっとも墜《お》ちはてている。それ以前に安政弾圧期があり、その弾圧者の大老井伊直弼《なおすけ》が横死し、その死とともにいわゆる志士どもがにわかに沸きたち、京をめざしてぞくぞくとのぼった。かれらが京でおこなったのは佐幕派に対する天誅《てんちゅう》であり、白昼他人の家に押しこんでその主人を斬《き》り、その首を鴨河原《かもがわら》にさらし、ときには手足を切りとってかれらの気に入らぬ政治活動者の屋敷にほうりこむなどしていやがらせをし、それに対して京都奉行所はほとんど無力であり、無警察状態におち入った。幕府は、警察軍を置くことにした。

京都守護職というのがそれであり、会津藩主松平容保《かたもり》が任命され、会津藩兵千人が京に常駐することになり、京における幕府の威信をその武力によって回復することになった。このいわゆる足利将軍木像梟首事件というのは、京都守護職設置直後のことである。

これにつき、二条城で幕府側の評定《ひょうじょう》がひらかれた。単に浮浪の血気のあまりのいたずらにすぎず、当局としては騒がぬほうがいい、とする意見もあったが、かならずしもそうではない、むしろ重大事件である、という意見のほうが多数を占めた。

時期が、微妙であった。将軍家茂《いえもち》が上洛《じょうらく》しようとしていた。事件の当日はすでに遠州掛川まできており、旅程が順調ならば十一日目には京に入るであろう。この木像梟首の下手人は、その捨て札の文章から察してもあきらかに徳川将軍家茂に擬している。家茂もまたかくのごとしというあてこすりの意図が明白であり、放置しておいては幕府の威信がたたなくなるばかりか、家茂が現実にこのような目に遭《あ》わされぬともかぎらない。松平容保は方針を決し、

「断乎《だんこ》捕縛し、国家の典刑を立てんのみ」

とし、その捜査と逮捕方を命じた。たまたま浪士の動静を内偵するために浪士たちにまじって志士活動をしている会津藩士の密偵がおり、その者の名を大庭《おおば》恭平といった。大庭はかれ自身がこの梟首事件に参加していたため、関係浮浪の名がことごとくあきらかになった。その巣窟《そうくつ》もわかった。

衣棚《ころもだな》二条、満足稲荷《いなり》前、粟田《あわた》法皇寺門前、祇園《ぎおん》町の某楼四カ所である。京都守護職にあっては、事件後二日目の夜、四カ所同時に襲撃すべく日没後それぞれの支度

所に人数を伏せておいた。人数は、司法権の執行者として、一応は町奉行所の与力同心を表面に立て、しかしながらかれらに戦力がないため実際には一ヵ所六十人内外の会津藩士が市中の各所に出役《しゅつやく》した。襲撃の時刻は翌朝六時とさだめられた。

このいっせい襲撃が、京における幕府の武力警察活動の最初であったろう。この種の必要からやがて会津藩はその支配下に新選組をもつにいたるのだが、この時期にあっては会津藩兵が直接そのしごとに就いた。その襲撃の方法は、たとえば法皇寺門前を襲ったばあいはこうであった。まず路上くまなく人数を配置して包囲する。家のなかへ直接踏みこむことをしない。踏みこめば屋内の敵の白刃に傷つけられるおそれがあった。それよりも屋内に潜居する者を屋外に飛びださせて、からめとるほうがいい。そのため二十数人より成る行動隊がはしごをかつぎ出してまず大屋根へかけた。それへつぎつぎとのぼってゆく。かれらは大屋根へのぼると、屋内の者をおどろかせるべく相撲のようにしこを踏み、口々に叫びあいながら手あたり次第に屋根瓦を剝《は》ぎとっては路上に投げおろし、喧騒《けんそう》をきわめた。この方法で、結局四人の浪士をとらえた。逸見源蔵、青山忠三郎、若林延右衛門、田中喜知造という者たちであったが、かれらは捕縛後しらべたところ、この事件に無関係であった。

他の場所では、収穫があった。また近江《おうみ》へ逃亡した者二人はかの地で捕えた。

容疑者とおもわれる者は、ぜんぶで十八人であった。そのうち十一人までは国学者平田篤胤《あつたね》・鉄胤《かねたね》の門人であった。

この当時、志士のなかにはわずかながら平田門の国学系の者がいた。学徒というよりもこの平田国学の徒は宗教性がつよく、強烈な神道思想をもち、神州神聖思想の立場から尊王攘夷をとなえた。この梟首事件の参加者はたがいにしめしあわせて京にあつまったのではなく、京にあつまってからたがいに同門の士であることで相寄り、小集団をなしていた。自然、薩、長、土、といういわゆる勤王三藩の士ではなく、草莽《そうもう》といわれる者たちであり、その出生地や身分も雑多であった。首領格の者は、江戸で町医をしていたという師岡《もろおか》節斎であり、ほかに有力な者としては信州岩村田のひと角田由三郎、常陸河内のひと建部楯一郎、信州上田のひと高松趙之助、下総《しもうさ》香取のひと青柳建之助、伊予松山のひと三輪田綱一郎、下総相馬のひと宮和田勇太郎、肥前島原のひと梅村真一郎、因幡《いなば》鳥取のひと仙石佐多男、同石川貞幹、近江八幡のひと西川吉輔などがいる。武士もいれば農民の出身もおり、商人のあがりもいた。そのなかで、

小室利喜蔵　二十五歳

というのがいる。

さきの明治後の小室信夫のばあいは阿波徳島藩士であり、士族であったが、しかしこの場合の利喜蔵は町人であり、商人ということになっている。

生国も、阿波徳島ではない。

丹後の宮津にちかい与謝《よさ》郡岩滝村の出身ということに、会津藩の捜査資料にはなっている。

なぜこうであるかということが、本稿の筆者にはながくわからなかった。

他の木像梟首事件の資料に、容疑者のひとりが夜陰、手入れを事前にさとってその潜居所をのがれ、走って末吉町の或る老婆宅をたたき、その二階でしばらくひそんだ、とあるが、その老婆宅の項には註として、「小室の妾の母、六十余歳」とある。当時の小室の身辺を知る唯一の資料である。

ところで事件関係者のなかに野呂久左衛門という備前藩士がいた。野呂は備前の直臣《じきしん》ではなく、家老土肥典膳の家来であり、家禄は陪臣《ばいしん》ながら百五十石であった。かれは藩命により京都情勢の探索方になり、前記粟田法皇寺前の町屋を根じろにして志士たちとつきあい、それから得た情報を国もとに送った。野呂は元来が平田学派であり、そのため同学の志士とのつきあいが濃くなり、その志士たちが野呂の右の居宅を集合所のようにしていた。こういう野呂の立場や経緯からみて木像梟首というような暴挙に参加するはずがなく、事実しなかったが、しかし幕府の嫌疑はこの集会所の居住者である野呂に集中し、その居宅は襲われた。たまたま野呂は不在でたすかったが、京を脱出し、近江の多賀神社の社家屋敷に潜伏した。しかしやがてとらえられ、その身柄は小笠原家あずかりになった。この野呂久左衛門の手になる「梟首事件災厄日記」には、小室のことが、

「三条小室、小室屋利喜蔵」

とある。小室は姓ではなく商人としての屋号であったのである。しかも三条に住んでいるらしい。

その後、事件関係者のうち近江人西川吉輔についての「西川吉輔」という書物をみる機会があった。奥付をみると、明治三十七年近江新報社の刊で、非売品、編者は西川太治郎とある。ここに、「小室信夫君懐旧談」というのが載っている。明治二十八年九月二日東京史談会幹事寺師宗徳翁が小室信夫に直接会ってそのはなしをきいた記事で、分量は四百字詰め原稿用紙十枚そこそこといったほどのものであり、形式は寺師翁がきいた小室のはなしを、寺師翁自身が語るという形式になっている。

それによると、小室はぶじ逃亡した。

かれは、どういうわけか、会津藩密偵の擬装志士大庭恭平から事前に手入れがあるということを耳うちされたという。右の寺師翁談では、「大庭という人はよほどおもしろいひとで、学問もあり、書画もかき、詩文も作るが極《ごく》の貧生であったそうで、平常小室氏が愛して始終扶助しておられたとのことです。それをよほど恩に感じていたか、いよいよ浪士捕縛という日の前の晩に小室氏に明かされた」とある。それをきき、小室は走って同志の中島永吉に教えた。そのあと、たれかれに告げたようだが、とにかく小室は右の中島永吉と逃げた。市中のあちこちを転々と逃げた。ついに逃げ場に窮し、窮したあまり、淡い関係ながら後藤鉄之助という徳島藩士をおもいだした。後藤は京都藩邸の商人応対の役人（徳島藩では手代というらしい）をしており、小室とはかねて商売のことでかかわりあいがあったらしい。

あとで筆者にわかったことだが、小室は三条のある商家番頭であった。その生家は丹後岩滝村の豪農で、その地方に多くみられるように丹後ちりめんの生糸問屋を兼ねており、その支店のようなものが京の三条にあった。小室信夫——小室屋利喜蔵はこの当時、その支店の支配人のようなことをしていて、尊攘志士と交遊していたらしい。

徳島藩士後藤鉄之助は、この当時、藩邸外に住居をもっていた。小室は、そこへ中島永吉ともども飛びこんだ。飛びこまれて後藤はおどろいたであろう。が、親切な男で――この後藤鉄之助という男の親切が小室と中島永吉の生涯を決定するにいたるのだが――かれらをかくまってやり、そのために藩邸に潜伏させた。藩邸は当時幕府に対しては一種の治外法権がみとめられていたから、会津藩の捜索はここまでおよばない。たまたま徳島藩の家老の稲田九郎兵衛が京を出発して帰国することになり、二人はその供の人数にまぎれて京を脱出することをゆるされた。その後、淡路洲本《すもと》にひそみ、さらに讃岐《さぬき》丸亀へゆき、ついで長州へのがれた。下関では宿という宿に捕吏の目が光っているというので（寺師翁談の小室ばなし）私娼窟に潜伏した。たまたま床屋にゆくと、床屋が、幕府の密偵のような者がこのあたりを嗅《か》ぎまわっていると他の客と話をしていた。かれらはあわてて下関を出て九州に渡った。

「小倉へゆこうとおもったが」

と、小室の話を、寺師翁は代弁している。

「途中、大宰府《だざいふ》を見物したくなり、そこへまわった。これがよかった。捕吏はわれわれが小倉城下に入ったときいてそこを探索してまわったらしい。そのあと捕吏は長崎へむかったらしいが、われわれはそれらのことはなにもしらず、大宰府から久留米に入り、さらに肥後にゆき、肥後では住江甚兵衛宅で滞留し、ついで久留米にもどり、勤王家として高名な真木和泉に面会したりした。おりから水天宮の祭礼の日であり、人相書がまわっているという話もきいた」

その人相書は、どういうわけか小室のはなく、同行の中島永吉だけのものであった。中島というのは、京の町儒者である。昌平黌《しょうへいこう》にも学んだことがあり、のち京にもどり、二条に学塾をもつ老儒中島棕隠《そういん》の養子になり、その塾を経営するうち、小室と親しくなり、さらに諸方の「浮浪」たちと交わるようになった。かれらが九州を転々できたのは、中島永吉の昌平黌時代の同窓が各地にいたためであった。さらにこれほどに長期にわたる逃亡ができたのは、小室が富商の支配人だけに多額の金を用意していたためであろう。

「どこでも、ふしぎにあぶないところを助かることができた。運のつよいときはどんなことをしてもよろしいものである」

と、小室信夫は寺師翁に語っている。

そのうち京都の様子をうかがうに、この事件のほとぼりも相当冷めたようであり、罪になっても斬罪とまでゆかぬという見通しがつき、京にもどった。まっすぐに京の徳島藩邸にゆき、自首して出た。

自首であるかぎり、かれらが武士でない以上、町奉行所に出頭すべきであった。しかし両人はわざと異をおこない、まるで武士の身分であるかのごとく徳島藩邸に名乗って出た。徳島藩でも多少の因縁のできた者たちのことでもあり、この一件を京都町奉行所に通報すると、奉行所のほうではすでに事件がかたちばかりながら落着いていることでもあり、

――ご迷惑ながら、その両人を貴藩においておあずかりねがいたい。

ということを、徳島藩に回答してきた。徳島藩でもなりゆき上、それを受けるしか仕様がない。やむなくこのふたりの囚人を京都から国もとへ護送した。大坂からの海上は、わざわざ船牢をつくってそれへ入れた。国もとの徳島においては、

――幕府の罪人である。

ということであまり疎略なあつかいもできず(奇妙なことだが、形式論理でいえばそうなるであろう。そうなるということを小室らが見越して徳島藩に自首して出たとすればよほどの利口さといっていい)、かれらを牢に入れず、藩士の屋敷あずけにし、外出の自由だけは奪った。

それで、下獄五年である。

慶応三（一八六七）年十二月、王政復古の号令が発せられ、翌慶応四（明治元）年の正月、京にある薩長土が、大坂から北上してきた徳川軍と鳥羽伏見で戦い、大いに勝利を得、官軍になり、京における新政府の信用が大いにあがった。諸藩はこの新情勢におどろき、狼狽《ろうばい》し、どのようにして新政府にとりついてゆくかに腐心したが、とりわけ阿波徳島藩などはそうであった。蜂須賀家二十五万七千石という大藩でありながら、従来ひとりの藩外勤王家も出さず、薩長に対して橋渡しをしうる人物が一人もいない。

ここまで考えてくると、小室信夫の奇蹟《きせき》がどういうものであったかが、およその推察はつくであろう。藩は、禁錮《きんこ》中の二人の囚人のことをおもいだした。この両人は、かすかながらも京において勤王活動をした経験があり、しかも足利将軍木像梟首事件という、いまとなればかがやかしい事件の関係者であった。藩では、両人の幽閉を解き、礼をつくして城に登らせ、にわかに徳島藩士ということにした。

それも下級の身分ではなかった。

かれら両人を朝廷に対する徳島藩代表として藩主ともども京にのぼらせ、新政府の徴士《ちょうし》とした。徴士とは、藩にあって家老をしのぐほどの重臣といえるであろう。中島永吉は、名も錫胤《ますたね》とあらためた。小室屋利喜蔵は小室信夫とあらためた。

中島錫胤は徴士からすぐ新政府の刑法事務局権判事《ごんのはんじ》になり、ついで明治二年兵庫県知事になり、諸官を歴任しつつ同十七年元老院議官にのぼり、同二十九年男爵を授けられ、日露役の終了直後病没し、葬儀の日には宮中からとくに侍従が差遣《さしつか》わされている。

小室信夫については、前記のようにその略歴しか筆者は知り得ていない。維新後すぐ岩鼻県権知事、徳島藩大参事、さらに少議官、左院三等議官などがおもな官歴であり、その後実業界に入り、明治二十四年貴族院議員に勅選されたあと、従五位勲四等に叙せられた。明治三十一年六月五日に病没している。乱世ということがなければ、京の室町三条の織物問屋町でそろばんをはじいていた一介のちりめん商人にすぎぬ生涯であったであろう。

解説

山形眞功

どんどん淋しくなっていった。羽田を発ってシドニーへ南下し、そこから北上してブリスベーン、ケアンズと泊まりを重ねるごとに人の姿は見えなくなってゆく。

一九七六（昭和五十一）年四月初め、司馬さんがオーストラリアの木曜島に行く間に立ち寄ったケアンズの町に、まだ夜九時ごろなのに行き交う人びとはほとんどいない。のちに成田、関西新空港から直航便が飛び、卒業旅行の学生たちやマリン・スポーツを目当てとする多くの人びとで賑わう町になるとは、想像もできなかった。

ケアンズから小型プロペラ機でさらに北上し、ヨーク岬半島のウェイパ経由、ホーン島へ。その船着き場からランチで渡りついた木曜島は、ニューギニアとの間のトレス海峡に位置するというのに、赤土に背の低い灰緑色の木々、草むらがへばりついている平べったい島だった。

桟橋には二人の日本人が待っていた。隣の金曜島で真珠養殖に携わっている「牟妻口氏」と、木曜島でエビ冷凍事業を始めようとしている「狩野氏」。開襟シャツに半ズボン、膝下までの長靴下を着けた白人や、大きな赤銅色の体にランニング、Tシャツの島人《アイランダー》たちが集まってきた。

「真珠ではなく、高級ボタンの材料となる白蝶貝《しろちょうがい》・黒蝶貝を採取するために、明治から太平洋戦争前まで日本人が潜っていた海と住んでいた島を見にゆく」という旅の目的は伺っていた。だが、司馬さんの旅にはじめて同行を許された私が木曜島に着いたときに思ったのは、〝よくもまあ、こんな島まで先生とみどり夫人は来るものだ〟。司馬さんの関心の向かうところと行き先の珍しさに啞然としていた。

木曜島には、日本人がいた跡は墓地と、藤井富三郎さんに見るばかりだった。この島にいた日本人潜水夫《ダイヴァー》たちの姿かたちをはっきり知るのは、司馬さんがオーストラリアから帰ってほぼ五ヵ月後に発表された「木曜島の夜会」(『別冊文藝春秋』一三七号、一九七六年九月)を読んでからになる。

和歌山県熊野地方の南端、古座川《こざがわ》筋の「宮座鞍蔵老人」と「吉川百次おじ」がご自分の体験をもとに実に詳しく、木曜島の日本人ダイヴァーの履歴と活動を語っていた。どうしてオーストラリアに渡ることになったのか、出発前の経済状況、ダイヴァー組織の構成、ダイヴァー・ボートの構造、海底での仕事の様子、陸上での生活と島人たちとの関係、日本に戻ることになったわけ等々。それに、「湊千松おじ」の謎多い生涯が、小説前半の柱となってくる。

これほどたしかな具体性に富んだ話をやわらかに聞きだし、記している司馬さんの取材力にあらためて驚かされてしまう。潜水漁労には、「漁師の子」よりも「山百姓の子」のほうが伸びる、という話も出てくる。

司馬さんは早くから日本の漁師と漁村に強い関心をもっていた。漁民の船・道具、技術と活動について、たくさんの本を読み、漁師やいろいろな人から聞き取るなどして、こまかに調べていたらしい。

「昭和四十年ごろから、旅に行ってそこに浦があると、なるべく寄るという習慣ができた」(『菜の花の沖』二　あとがき)

それは、稲作・コメを中心とする農耕社会日本の別の面を、漁労民とその文化から発見する試みだった。海のほうから日本人と日本文化、歴史を照らしだそうとしていたのである。

こういう司馬さんの考え方による日本人とその歴史像は、小説や『街道をゆく』の各所に披瀝されている。なかでも、もっともその主題をはっきり出して、まとまって書かれているのが、この「木曜島の夜会」であろう。

まず、辺境日本の紀州熊野の男たちがオーストラリアの辺境、木曜島周辺の海底に潜って、欧米などの貴族やブルジョワ階層の衣装に着ける高級ボタンの原材料となる貝を採取するという、人と商品の動きがあったことに眼を開かされる。さらに、こうした奇妙な感じもする世界経済のからくりのなかで、「日本人の性《しょう》」が探られてゆく。

なぜ日本人は、辺境の南海底で、潜水病やサメなどの恐怖に耐えつつ、潜水採取労働をつづけることができたのか。

「海底では、もう金銭もなにも念頭にない。何トン水揚《バイキヤツプ》するかということだけやったな。紀州者も伊勢者も、みな鬼になってしまう」

司馬さんが記録する「宮座老人」の言葉は、日本人の特性を大きく捉えている。

「木曜島の夜会」は後半から、滞在中の二回の「夜会」場面が主になってくる。

昼間、木曜島を歩いている司馬さんの姿のうち、私の記憶にいまも残っているのは、三人の中国人らしい漁船員に向けたやさしさである。岸壁からにこやかに話しかける司馬さんに、赤錆びた二隻の船から細い体の彼らがはずかしそうに答えていた。彼らが、領海侵犯で半年も留置されている台湾籍の漁船員であることは、そのあとに司馬さんから聞いた。

一九七二年九月の日中国交回復以来、日本では中国ブームがつづき、台湾との関係は薄らいでいた。司馬さんはこの旅のほぼ一年前、「日本作家代表団」の一員として文化大革命末期の中国を見つめている（『長安から北京へ』）。木曜島に向かっている四月五日朝、オーストラリアの新聞は前日「清明節」に、北京・天安門に「周恩来首相追悼」を掲げて多数の青年たちが集まり、騒乱状態になったことを大きく報じた。ブリスベーンのホテルでそれを読む司馬さんは沈痛な面持ちだった。

台湾漁船員に向かう司馬さんのやさしさは、そういう東アジアの不安定な状況に漂う若者に対する同情からくるものだろうと、私は憶測していた。けれども、「木曜島の夜会」を読むと、それ以上に、海の民への司馬さんの共感が大きく動いているように思えてならない。「夜会」に招かれた台湾漁船員たちも、おすしを彼らに持っていった司馬さんと「行儀よく」親しんでいた。

司馬さんは十分に「夜会」を楽しんでいる様子で、さまざまな来会者と話を交わしていた。壁際に突っ立っている私のところにも再三来ては、「話せ、話せ」とパーティに加わるようにうながした。

二回の「夜会」に集まった人たちの様子は活写され、島の人間関係と島の状況がリアルに伝えられてくる。そして、そこから浮かび上がってくるのは、一九二五（大正十四）年にダイヴァーになろうと来てからはほとんど木曜島を離れなかったただ一人の日本人、藤井富三郎さんと、彼を「トミー」とよぶ藤井夫人の人間像だ。司馬さんのすぐれた小説構成である。

木曜島への旅は、途中ブリスベーンで日本芸術院恩賜賞授賞の知らせが入ったり、帰国間際にはキャンベラにいらした井上ひさしさんとはじめて会ったりで、司馬さんにとって意外なよろこびももたらした旅だったと思う。

だが、「木曜島の夜会」は、司馬さんの、掉尾を飾る短篇小説となった。その前に書かれた短篇「有隣は悪形にて」と前々作「大楽源太郎の生死」（ともに一九七二年発表）、「小室某覚書」（一九六七年発表）を合わせ、「木曜島の夜会」を表題作とする単行本は、最後の短篇集となる。

けれども、「木曜島の夜会」に表わされる海に生きた日本人の技術・生活、心情、文化について司馬さんの調べ考えたことは、一九七九年四月に連載開始の長篇小説『菜の花の沖』にたっぷり注がれている。司馬さんの小説群のなかでも、「木曜島の夜会」は一つの画期となる短篇小説だ。

「木曜島の夜会」は、それまでほとんど書きとめられることなく、忘れられつつあった日本人による海外潜水漁労の貴重な記録文学である。いま、漁業資源の問題など、日本の海洋をめぐる状況は、相当に波立っている。そんななかで「木曜島の夜会」を読むと、世界の海に行った日本人の航跡を照らしつづける灯台のように思えてくる。

（元・中央公論社編集者）

初出掲載誌
木曜島の夜会「別册文藝春秋」第137号　一九七六年九月
有隣は悪形にて「オール讀物」一九七二年五月号
大楽源太郎の生死「小説新潮」一九七二年二月号
小室某覚書「別册文藝春秋」第102号　一九六七年十二月

単行本　一九七七年　文藝春秋刊

この本は一九八〇年に小社より刊行された文庫の新装版です。
内容は「司馬遼太郎短篇全集」第十一巻、第十二巻を底本としています。

文春文庫

木《もく》曜《よう》島《とう》の夜《や》会《かい》

定価はカバーに表示してあります

2011年8月10日　新装版第1刷
2020年12月5日　第2刷

著　者　司《し》馬《ば》遼《りよう》太《た》郎《ろう》
発行者　花田朋子
発行所　株式会社 文藝春秋

東京都千代田区紀尾井町3-23　〒102-8008
TEL 03・3265・1211㈹
文藝春秋ホームページ　http://www.bunshun.co.jp

落丁、乱丁本は、お手数ですが小社製作部宛お送り下さい。送料小社負担でお取替致します。

印刷製本・凸版印刷　Printed in Japan
ISBN978-4-16-766336-0